Hugo le Terrible

Les Contemporains,
CLASSIQUES DE DEMAIN

LAROUSSE

Hugo le Terrible

Maryse
Condé

Édition présentée,
annotée et commentée
par Carine PERREUR,
docteur ès lettres

Direction de la publication : Carine GIRAC-MARINIER
Direction de la collection : Nicolas CASTELNAU-BAY
Édition : Laurent GIRERD
Lecture-correction : Élisabeth LE SAUX
Direction artistique : Uli MEINDL
Couverture et maquette intérieure : Serge CORTESI,
Sophie RIVOIRE, Uli MEINDL
Informatique éditoriale et mise en pages : Philippe CAZABET,
Marie-Noëlle TILLIETTE
Responsable de fabrication : Marc CHABRIER

Sommaire

Hugo le Terrible

Maryse Condé

Pour approfondir

L'auteur

Née Maryse Boucolon, la future Maryse Condé voit le jour le 11 février 1937 à Pointe-à-Pitre, en Guadeloupe.

 ## Origines et enfance

Sa grand-mère maternelle était cuisinière pour une famille de créoles[1]. Après une enfance difficile, sa mère, Jeanne Quidal, est devenue « une des premières institutrices noires de sa génération » (*La Vie sans fards*, 2012) tandis que son père, Auguste Boucolon, a pu faire des études et fonder une banque locale.

Benjamine d'une nombreuse fratrie, elle grandit dans une certaine aisance, auprès de ses parents, qui vivent l'esprit tourné vers la France métropolitaine, où ils se rendent souvent. En famille, elle ne parle pas le créole[2] mais le français. Elle est imprégnée de littérature et de culture européennes.

 ## Études et formation

En 1953, elle étudie, à Paris, les lettres classiques puis l'anglais. Ses premiers contes, nouvelles et essais paraissent dans des revues sans qu'elle envisage encore de devenir écrivain. Pendant ses études, elle lit de nouveaux auteurs, prend conscience de la couleur de sa peau et des origines africaines des Noirs des Antilles. Elle découvre *La Rue Cases-Nègres* (1950) de Joseph Zobel, qui déterminera son engagement politique. Elle se nourrit des essais de Frantz Fanon, qui analyse notamment les

---

1. Personnes d'ascendance européenne nées dans une des anciennes colonies européennes de plantation (Antilles, Guyanes, La Réunion, etc.).

2. Parler né à l'occasion de la traite des esclaves noirs (XVIe-XIXe s.) et devenu la langue maternelle des descendants de ces esclaves.

conséquences psychologiques du colonialisme sur les relations entre Noirs et Blancs, du *Discours sur le colonialisme* (1950) d'Aimé Césaire, qui dénonce et condamne le colonialisme, ou des ouvrages de Présence africaine, maison d'édition et revue publiant des écrivains et intellectuels noirs en mettant en avant leur culture et leur identité.

En 1958, elle épouse Mamadou Condé, un acteur guinéen. Ensemble, ils auront plusieurs enfants. Malgré leur séparation, elle conserve son patronyme comme nom d'auteur : Maryse Condé.

 ## L'Afrique

Elle part ensuite en Afrique, sur les traces d'une histoire dans laquelle elle ne se retrouve pas toujours. Elle parcourt ce continent à une période particulière, alors que les pays sortent du colonialisme et retrouvent, avec plus ou moins de difficultés, leur indépendance. Accueillie en étrangère, Maryse Condé découvre une image de l'Afrique qui est loin de celle théorisée par les auteurs qu'elle a lus. Malgré tout, l'expérience est formatrice.

Au cours des années 1960, elle enseigne le français, pour différents niveaux, en Côte d'Ivoire, en Guinée, au Ghana où elle commence à écrire son premier roman et, plus tard, au Sénégal. Elle travaille aussi à Londres, au service Afrique de la BBC.

Elle retrouve la France en 1970, après « douze ans de galère en Afrique » (*Mets et merveilles*, 2015), écrit des pièces de théâtre et participe à la revue *Présence africaine*.

Reprenant ses études, elle soutient une thèse, *Stéréotype du Noir dans la littérature antillaise Guadeloupe-Martinique* (1976), et enseigne la littérature francophone dans des universités parisiennes.

L'auteur

Enseignante et romancière

Au fil des années, elle écrira de nombreux romans, ainsi que des essais (*La Parole des femmes : essai sur les romancières des Antilles de langue française*, 1979) et des textes autobiographiques. *Ségou*, épopée en deux volumes (1984, 1985), est son premier grand succès.

Après sa publication, elle retourne en Guadeloupe, avec son second mari, Richard Philcox, qui est aussi son traducteur en langue anglaise. Elle y reste plusieurs années, puis s'installe en France métropolitaine, où elle vit toujours.

En parallèle de ses activités d'écrivain, elle enseigne dans plusieurs universités américaines et fonde en 1995, à l'université de Columbia, à New York, le Centre des études françaises et francophones, qu'elle dirige jusqu'en 2005.

En France, à la demande du président de la République Jacques Chirac, elle devient en 2004 la première présidente du Comité pour la mémoire de l'esclavage, créé afin d'accompagner et de faire appliquer la loi de 2001 reconnaissant la traite négrière et l'esclavage comme crimes contre l'humanité.

 À retenir

Femme de lettres et enseignante, Maryse Condé a reçu de nombreux prix littéraires. Elle a été décorée de plusieurs ordres nationaux (Légion d'honneur, Ordre des arts et des lettres, Ordre national du mérite) venant saluer une « figure majeure de la littérature française ».

Le prix Nobel alternatif de littérature, qui lui a été décerné en 2018, a salué son œuvre au « langage précis » qui « décrit les ravages du colonialisme et le chaos du post-colonialisme ». Elle s'est réjouie, en réponse, « d'être celle qui a fait entendre la voix cachée de la Guadeloupe ».

 ## Une écriture engagée

Maryse Condé défend une littérature antillaise qui ne soit pas une caricature exotique, mais qui développe une voix personnelle, une culture propre. Comme elle l'a affirmé à plusieurs reprises, la romancière n'écrit ni en français ni en créole, mais en Maryse Condé.

Dans ses œuvres, l'écriture est utilisée comme réaction, comme réponse au monde et à ses drames ou injustices. Parmi ses personnages apparaissent de nombreuses figures féminines qui s'interrogent sur leur place dans la société, en tant que femmes, et qui luttent ou résistent à leur manière.

Les engagements de l'auteur se perçoivent bien, dans ses divers écrits, qu'ils soient romanesques ou non. Elle y parle de l'esclavage, de la lutte contre le colonialisme et pour l'indépendance, du féminisme, des relations entre Blancs et Noirs et d'autres sujets, encore, qui résonnent toujours dans notre monde contemporain.

 ## Les romans

« Je n'ai pas été un écrivain précoce, griffonnant à seize ans des textes géniaux. Mon premier roman est paru à mes quarante-deux ans », déclare-t-elle dans *La Vie sans fards* (2012). La littérature est ensuite devenue pour elle une « urgence ».

Les deux tomes de *Ségou* (1984, 1985), épopée racontant l'ancien empire du Mali, la révèlent au grand public. Elle est l'auteur d'une vingtaine de romans, parmi lesquels *Moi, Tituba sorcière... Noire*

L'œuvre

de Salem (1986), *En attendant le bonheur (Heremakhonon)* [1988], qui fait écho à ses années africaines et met en scène la Guinée des années 1960, *Traversée de la mangrove* (1989), *Desirada* (1997) ou *Célanire cou-coupé* (2000). Son ultime roman, *Le Fabuleux et Triste Destin d'Ivan et Ivana* (2017), s'interroge sur le parcours qui conduit un jeune à la radicalisation terroriste.

 ## Les ouvrages autobiographiques

Si des échos de sa vie traversent son œuvre de fiction, Maryse Condé s'est penchée plus précisément sur son histoire dans des textes autobiographiques.

Le Cœur à rire et à pleurer (1999) raconte son enfance dans les années 1950, entre la Guadeloupe et la France. *La Vie sans fards* (2012) lui permet de revenir, avec honnêteté et sans complaisance, sur son trajet de jeune femme et de mère, ainsi que sur ses années africaines.

Mets et merveilles (2015), sorte d'« autobiographie culinaire », parle du goût qu'elle a, depuis l'enfance, pour la cuisine. Dans *Victoire, les saveurs et les mots* (2006), elle célèbre la mémoire d'une autre cuisinière passionnée, sa grand-mère maternelle, employée par des créoles.

 ## Les récits pour la jeunesse

Maryse Condé a aussi écrit pour la jeunesse – notamment pour ses petits-enfants, qui voulaient, eux aussi, lire ses livres. Elle y adapte son style, cherchant à adopter un ton poétique et clair, sans pour autant simplifier son propos.

Les personnages y suivent souvent un apprentissage ; acteurs et témoins des événements, ils sont confrontés à l'histoire de leur terre, en particulier à la présence et aux conséquences de l'esclavage et du colonialisme. Ces romans invitent les lecteurs à partager une réflexion sur le monde, qu'il soit passé ou présent.

Le premier d'entre ces textes, *Haïti chérie* (1987 ; repris en 2001 sous le titre *Rêves amers*), raconte l'histoire d'Haïti dans les années 1970 à travers le personnage d'une jeune fille qui sera forcée à devenir esclave. Suivront *Victor et les barricades* (1989), qui se déroule pendant des émeutes en Guadeloupe ; *Hugo le Terrible* (1991), autour de l'ouragan Hugo ; *La Planète Orbis* (2002), un roman de science-fiction ; *Chiens fous dans la brousse* (2008), qui présente le trajet d'un enfant africain vendu comme esclave au XVIIIe siècle ; ou encore *Savannah blues* (2009), contant l'histoire d'une famille pauvre afro-américaine.

 ## À retenir

Romans pour adultes et pour la jeunesse, autobiographies, essais, nouvelles, anthologies : l'œuvre de Maryse Condé est riche, ouverte à de multiples genres et domaines. Elle a été traduite dans de nombreuses langues à travers le monde entier.

Pourquoi lire l'œuvre ?

Paru pour la première fois en 1991, *Hugo le Terrible* raconte la lente approche, puis le violent déferlement d'un ouragan sur la Guadeloupe.

 Une invitation au voyage

Le roman permet de découvrir quelques images de l'un des départements français les plus tropicaux. Les paysages, les spécialités et les modes de vie guadeloupéens pourront sembler proches à certains lecteurs, lointains à d'autres, mais ils résonnent fondamentalement comme une invitation à voyager et à s'ouvrir à une culture différente. La géographie de l'île est restituée dans le roman, qui cite de nombreux noms de lieux ; les personnages y vivent ou les traversent au cours de leurs aventures. Beaucoup d'arbres et des plantes caractéristiques y sont mentionnés, ainsi que des spécialités culinaires ou des éléments culturels – comme les personnages de la tradition orale que convoque la grand-mère. Le vocabulaire s'adapte également à la localisation du roman, mettant en valeur des termes spécifiques ou des mots de créole.

Certains objets viennent souligner le fait que le roman se déroule à la fin du XXᵉ siècle : les photographes utilisent des appareils à pellicule – les appareils numériques n'étaient pas encore répandus –, le téléphone, qui n'était pas sans fil, est coupé lorsque les lignes électriques sont arrachées, tandis que la radio est l'unique moyen de s'informer.

 Une plongée au cœur d'un ouragan

Michel, le personnage principal, n'a encore jamais connu d'ouragan. Sa première expérience est ainsi partagée par le lecteur, qui découvre avec lui toutes les étapes de cet épisode mouvementé, et ressent ses craintes, pour sa vie et celle de ses proches. *Hugo le Terrible* suit précisément les phases de la formation et de l'apparition de l'ouragan, évoquant les doutes, les peurs et les espoirs de chacun – donnant ainsi vie, avec force, aux moments les plus effrayants. Son arrivée est progressive. Annoncé dès les premières pages, il est accompagné d'incertitudes : aura-t-il bien lieu ? Sera-t-il aussi dangereux que certains le craignent ? L'inquiétude monte, lentement, jusqu'à l'angoisse. Le suspense et la tension dramatique sont soigneusement entretenus.

Une réflexion sur la nature

En évoquant l'ouragan qui a durement frappé la Guadeloupe en 1989, le roman montre comment les éléments naturels peuvent se déchaîner. Au temps doux et agréable du début du livre succède un vent violent et destructeur, accompagné d'une pluie torrentielle, qui met la vie des habitants en péril.

Le dérèglement climatique, dont les conséquences s'accentuent de nos jours, tend à rendre encore plus présent et intense ce genre de phénomène, où la nature fait des ravages et devient dangereuse pour l'homme. Les inondations, l'élévation du niveau de la mer et une violence accrue des cyclones menacent notamment la Guadeloupe, tandis que d'autres régions du monde sont confrontées à d'autres catastrophes naturelles tout aussi inquiétantes.

Un appel au partage et à l'ouverture

Le trajet de Michel au cours du roman donne également naissance à une réflexion sur les rapports humains. Les relations entre les personnages, qui font face à une tragédie commune, évoluent au fil du récit, alors que le garçon apprend à porter plus d'attention aux autres, notamment à la domestique de la famille. Socialement moins aisée que lui, elle vit dans un habitat précaire, qu'il découvre juste

Pourquoi lire l'œuvre ?

avant l'arrivée de l'ouragan. Cela le poussera à ouvrir les yeux sur le monde qui l'entoure et à prendre conscience de la différence.

 ## À retenir

Si *Hugo le Terrible* se montre divertissant et haletant, entraînant le lecteur dans une histoire rythmée riche en rebondissements, il invite également à la réflexion – la catastrophe naturelle qu'est l'ouragan permettant au héros adolescent de faire évoluer le regard qu'il porte sur les êtres et les événements.

Hugo le Terrible

Maryse **Condé**

À Raky
qui n'a jamais vu de cyclone.

I

Jeudi

Ce soir quand nous étions à table, un coup de vent a fait craquer notre maison de toutes ses jointures[1]. Petite Mère a soupiré :

— Bon Dieu ! Est-ce qu'elle pourra supporter le cyclone ?

Audrey, ma petite sœur de huit ans, s'est écriée en battant des mains :

— Un cyclone ? Un cyclone ! Est-ce qu'il va y avoir un cyclone ? Je voudrais bien voir ce que c'est.

Petite Mère l'a vivement grondée :

— Cesse de dire des bêtises. Tu ne sais pas de quoi tu parles ! Si tu continues, je vais t'envoyer au lit !

Mon père a haussé les épaules :

— Moi je vous dis qu'il n'y aura pas de cyclone. Il ne faut pas écouter ce qu'on raconte. Ce sont des histoires pour faire bavarder les bavards.

Il est ainsi, mon père ! Il n'a jamais peur de rien. Il ne prend jamais rien au sérieux.

Et pourtant tout le monde en parle de ce cyclone qui doit venir sur nous. Il paraît qu'à la météo, on l'a déjà baptisé : Hugo. Victor Hugo est mon poète préféré. Je connais ses vers par cœur. Aussi, je trouve que ce n'est pas juste de donner le nom d'un écrivain qui avait l'amour des enfants et des pauvres gens à un semeur[2] de tristesse, de malheur et de deuil.

---

1. **Jointure :** endroit où deux éléments s'assemblent ; articulation.
2. **Semeur :** qui répand, qui propage quelque chose.

Ce matin en classe, les élèves ne parlaient que du cyclone Hugo. M. Justin, le professeur d'anglais, en a profité pour nous débiter un petit exposé d'un ton docte[1] comme il aime à le faire :

— Ne confondez pas l'onde tropicale, *tropical wave*, la tempête tropicale, *tropical storm*, et l'ouragan, *the hurricane*[2]. Ces phénomènes qui se forment sur la mer varient d'intensité[3]. L'ouragan, *the hurricane*, le plus violent des trois, brise et détruit tout sur son passage. Attention ! Ce qui est tempête, *storm*, chez nous en Guadeloupe peut devenir ouragan, *hurricane*, en arrivant sur une autre île. Par exemple, Gilbert qui a ravagé la Jamaïque. Vous vous rappelez, l'année dernière ?...

En vérité, personne ne l'écoutait. C'était le chahut dans la classe. Les élèves se racontaient des histoires de cases et de voitures qui volaient en l'air et de pieds bois[4] qui tombaient de toute leur hauteur, qu'ils fabriquaient d'après des récits de leurs parents. Moi, la seule personne qui m'ait jamais parlé de cyclone, c'était Bonne Maman, la mère de ma mère, morte il y a deux ans.

Elle habitait Ducreusse, Bonne Maman, non loin de Port-Louis et de l'usine Beauport où mon grand-père était contremaître. Chaque année, au mois de juillet, mon grand frère Daniel, la petite Audrey et moi, nous allions passer les vacances avec elle. Les voisins s'exclamaient en nous voyant jouer sur la galerie ou courir dans le jardin :

— Eh bien, Man Rosa, vous voilà bien occupée à présent ! Plus de sieste l'après-midi.

---

1. **Docte :** érudit, savant.
2. *Tropical wave, tropical storm* et *hurricane* sont la traduction, en anglais, d'« onde tropicale », de « tempête tropicale » et d'« ouragan ».
3. **Varient d'intensité :** changent de force.
4. Arbres.

Toujours gaie et d'humeur égale, Bonne Maman n'avait qu'une terreur : le mauvais temps. Quand le ciel devenait noir d'orage au-
50 dessus de la mer et que le grand vent donnait de la voix, elle nous faisait rentrer et fermait en hâte les fenêtres et les grosses portes de la maison qu'à la mort de mon grand-père elle n'avait jamais voulu quitter, malgré les supplications de Petite Mère qui voulait qu'elle vienne habiter avec nous à la Pointe. À chaque fois, elle secouait la tête :
55 — C'est là que mes enfants sont nés. C'est là qu'Arson, mon mari, est mort. C'est là que je mourrai, moi aussi.

Elle se mettait à genoux dans sa chambre devant une image du Sacré-Cœur de Jésus et, les mains croisées contre sa poitrine, elle priait jusqu'à ce que la colère du vent et de la mer se calme.
60 Pendant ce temps-là, nous jouions à cache-cache, nous nous battions, nous riions aux éclats derrière son dos. Alors, elle nous grondait :

— Petits sacripants[1] ! J'étais petite au moment du cyclone de 1928 mais je ne l'ai jamais oublié. En ce temps-là, j'habitais
65 sur le Canal avec ma maman qui était couturière. La mer est venue sur nous, aussi haute que le morne[2] Miquel, et elle a tout avalé. Pendant ce temps-là, le vent déracinait les pieds bois et les feuilles de tôle traversaient l'air en faisant houhou. Nous avons tout perdu. Nous sommes restés avec nos yeux pour pleurer et
70 nous avons dû prendre refuge chez la sœur de ma maman qui, elle, habitait au Lamentin.

Toutes ces histoires-là, si elles retenaient l'attention d'Audrey, ni Daniel ni moi-même, nous ne les prenions très au sérieux. Elles faisaient partie de ces récits étranges qu'affectionnait ma
75 grand-mère et qui composaient un monde qui n'appartenait

---

1. **Sacripants** : coquins, vauriens.
2. **Morne** : colline ou montagne, généralement située sur une île. Le morne Miquel se trouve à Pointe-à-Pitre.

qu'à elle. Les cyclones, c'était un peu comme les sokougnans[1], les volants[2], ou Ti-Sapoti[3].

Je ne me rappelle jamais ces vacances à Ducreusse sans un profond sentiment d'émotion. Bonne Maman ne badinait[4] pas avec
80 la discipline et était toujours à nous reprendre sur nos manières à table ou sur nos façons de lui parler. Elle s'exclamait :

— Bon Dieu ! De mon temps les enfants ne se tenaient pas comme vous. On disait d'ailleurs : *Kan gwan moun ka palé, ti moun ka pwyé dié*[5].

85 Mais comme elle savait aussi nous embrasser, nous préparer des douceurs et nous raconter des histoires extraordinaires et magiques ! À Ducreusse, nous n'avions pas besoin de télévision, de vidéo, de dessins animés ou de films policiers. Bonne Maman nous suffisait.

90 Le matin, sitôt avalés nos cassaves[6] et notre bol de chocolat, Daniel et moi, nous enfourchions nos vélos et partions jusqu'à la plage du Souffleur à Port-Louis. La mer léchait doucement le sable étincelant. À l'horizon, nous apercevions l'île d'Antigua, bleue contre le bleu du ciel. Nous appuyions nos vélos contre un
95 amandier-pays[7] et nous jetions dans la mer. Quand nous revenions pour déjeuner, Bonne Maman nous apostrophait :

— Sacrés chenapans[8], c'est à pareille heure que vous rentrez. J'ai bien envie de vous mettre à genoux sur la galerie !

---

1. Esprits buveurs de sang.
2. Sorciers.
3. Personnage de la tradition orale.
4. **Badinait :** plaisantait.
5. Proverbe créole : « Quand les grandes personnes parlent, les enfants prient le Bon Dieu. »
6. **Cassaves :** galettes à la farine de manioc, sucrées ou salées.
7. **Amandier-pays :** arbre fruitier tropical.
8. **Chenapans :** fripouilles, vauriens (ici, termes de reproche affectueux).

Mais nous savions bien qu'elle ne pensait pas ce qu'elle disait.
100 Bonne Maman est morte d'un arrêt du cœur. Elle suspendait sur
une ligne, dans la cour, le linge qu'elle avait lavé elle-même, car
elle n'avait jamais voulu se servir de la machine que Petite Mère
lui avait donnée, quand elle est tombée. Au bruit de sa chute,
Voisine Amélie a regardé par-dessus la haie de feuilles de tôle qui
105 séparait les deux maisons. Hélas, c'était déjà trop tard.

*

En sortant de l'école, ce jeudi-là, comme chaque après-midi,
Daniel et moi, nous avons rejoint Petite Mère dans son salon de
coiffure *Black Beauty*. J'aime beaucoup le salon de coiffure de Petite
Mère. Il y flotte une douce odeur de parfums et de laque. Aux
110 murs sont accrochés des dessins et des photographies de modèles
noirs faisant admirer les coiffures les plus extraordinaires. Il paraît
que ce sont des Américains. Quelquefois, quand il n'y a pas trop
de travail, Paméla, une des employées, me fait un shampooing,
ce que Daniel refuse tout net, quant à lui, en disant :
115 — Ah non ! Je ne suis pas une fille.
Mais ce jour-là, personne n'avait l'esprit à me faire des shampooings. Les clientes et les employées ne parlaient que du cyclone.
Sur toutes les lèvres se dessinait le même nom terrible : Hugo !
Petite Mère s'efforçait de rester calme et houspillait[1] ses employées :
120 — Paméla, les soins de Mme Hubert ! Jeanne, je crois que les
cheveux de Mme Raymonde sont secs.
Mais moi qui la connais mieux que personne, je voyais bien
qu'elle était troublée. Dans la voiture qui nous ramenait à la
maison, Daniel lui a demandé :

---

1. **Houspillait :** réprimandait, tançait.

23

125   — C'est donc sérieux, Petite Mère ! Est-ce que tu as jamais vu un cyclone ?

Petite Mère a secoué la tête :

— Non, jamais ! Quand Inès est venue sur nous, j'étais à Bordeaux où je faisais mes études de coiffure.

130   Nous habitons sur le morne Carmel. Autrefois, dans les années 1940, il paraît que c'était un quartier déshérité[1] peuplé de cases en tôle ou en planches grossièrement assemblées où seuls des malheureux[2] habitaient. Mais lors de ses travaux d'urbanisation, la municipalité l'a réhabilité[3]. À présent s'y élève une cité résidentielle

135 avec de jolies villas aux toits de tuiles. Petite Mère a baptisé notre villa « Les Alamanders[4] » à cause des fleurs jaunes qui couvrent la galerie en toute saison. Notre villa ne ressemble à aucune autre car mon père et son frère Pierrot ont modifié les plans des architectes. Ce sont eux qui ont ajouté le galetas[5], percé de quatre

140 énormes fenêtres d'où on aperçoit les hautes tours de la Pointe, et la salle de bains ultra-moderne, avec ses carreaux de faïence bleu vif et ses robinets étincelants. Mais notre villa, selon les désirs de Petite Mère, est en partie faite en bois. Pour la première fois, je me suis interrogé sur sa solidité. Le bois résiste-t-il autant que le

145 béton aux intempéries[6] et aux assauts de la nature ?

À peine entrés, Petite Mère nous a ordonné – et c'était bien le signe de l'inquiétude qu'elle s'efforçait de nous cacher :

— Écoutez ! Ce n'est pas un soir à faire du désordre. Allez dans vos chambres préparer vos devoirs. Que je ne vous entende pas !

---

150 Et puis elle s'est mise à téléphoner à sa sœur, ma tante Sylvia, qui habite Sainte-Anne. Je ne peux pas dire qu'à ce moment-là j'avais réellement peur ; néanmoins, je sentais autour de moi une atmosphère chargée d'électricité qui me mettait mal à l'aise. Que deviendrions-nous si notre maison s'envolait dans les airs ?

155 Si nous nous retrouvions à la rue comme ces familles que l'on voit à la télévision dans des pays lointains comme le Bangladesh ou des îles plus pauvres que la nôtre, par exemple, la Dominique ou Montserrat[1] ?

Cette nuit-là, je ne pus pas dormir.

160 Le moindre soupir du vent, le moindre grincement des tuiles, le moindre frémissement du bois me faisaient sursauter. Vers onze heures, n'en pouvant plus, je me suis glissé hors de la chambre et je suis sorti sur la galerie. Rien n'annonçait que le malheur s'approchait. La nuit était belle. Dans le ciel pur, la lune avait

165 ouvert son grand œil jaune et sa clarté dessinait les contours de chaque chose : les hauts pieds bois familiers, les maisons voisines et les voitures endormies le long des trottoirs comme des animaux dociles. Tout ce décor qui entourait ma vie et qui peut-être était menacé. Je scrutai le ciel comme si je pouvais y lire un signe.

170 À ce moment, une voix grondeuse s'est élevée derrière moi :

— Qu'est-ce que tu fais là pieds nus sur le carreau ?

C'était mon père. J'admire beaucoup mon père. C'est un merveilleux sportif. Il joue au tennis à la perfection. Il nage à la brasse jusqu'à l'îlet du Gosier en moins de dix minutes. Le samedi et le

175 dimanche, il quitte la maison dans le devant-jour[2] pour une ou deux heures de course à pied. Parfois aussi avec des amis, il fait de longues randonnées à bicyclette. Je ne lui reproche qu'une chose, c'est de ne pas s'intéresser à nous, comme si nous appartenions

---

1. La Dominique et Montserrat sont deux îles des Caraïbes.
2. **Le devant-jour** : l'aube.

exclusivement à Petite Mère. Certains pères emmènent leurs
180 enfants à la piscine ou sur les courts de tennis. Lui, jamais. Voilà
bien longtemps qu'il nous a promis, à Daniel et à moi, de faire
une randonnée à pied à la trace[1] Victor-Hughes qui, à travers
mangliers, poiriers-pays, mahots grandes feuilles et arbres à lait[2],
court de Bonsergent sur les hauteurs de Petit-Bourg aux crêtes de
185 la Soufrière. Mais il n'a pas tenu parole. Il paraît qu'autrefois les
esclaves utilisaient la trace Victor-Hughes[3] pour fuir les plantations
et qu'elle menait à un camp de marrons[4]. Cela me fait rêver !

J'ai demandé à mon père :

— Et si le cyclone arrivait pour de bon ?

190 Il n'a pas répondu à ma question et a seulement dit :

— Va te coucher.

Parfois je ne comprends pas les grandes personnes. C'est à croire
qu'elles oublient qu'elles ont été des enfants ou des adolescents,
qu'elles ont eu peur, qu'elles se sont senties toutes faibles dans
195 l'existence avec au cœur un grand besoin de réconfort. J'aurais
aimé que mon père au lieu de m'envoyer au lit comprenne ce
que j'éprouvais et m'accorde un peu de son temps. Sans doute
pense-t-il qu'à treize ans, je dois simplement obéir. Toujours obéir.

Je suis rentré, rempli d'un sentiment de révolte, et j'ai regagné
200 la chambre. Lui, Daniel, ne semblait pas particulièrement troublé
par l'annonce du cyclone. Comme chaque soir, une fois la tête
sur l'oreiller, il s'était endormi. Quand ils nous voient pour la
première fois, les gens s'étonnent :

---

1. **Trace :** route de forêt.
2. Mangliers, poiriers-pays, mahots grandes feuilles et arbres à lait sont
différentes variétés d'arbres et arbustes tropicaux.
3. Victor Hughes (ou Hugues) gouverna la Guadeloupe, pour le compte de
la France, entre 1794 et 1798, et participa sur place à la première abolition
de l'esclavage.
4. **Marrons :** esclaves noirs révoltés.

— Ils ne se ressemblent pas du tout. On ne dirait jamais que
205 ce sont deux frères.

Daniel est costaud comme mon père. Très grand pour ses
quinze ans, il me dépasse de toute la tête. Petite Mère et mon père
l'appellent par jeu « Poil à maïs », car il a le teint et les cheveux
très clairs. Moi, je suis plus noir, plutôt petit et fluet. Au moral
210 aussi, nous sommes très différents. Daniel est très vivant, toujours
prêt à raconter des blagues, à rire, à se moquer. Il a beaucoup de
camarades qui lui téléphonent à longueur de journée. En classe,
ses professeurs se plaignent qu'il soit impertinent et convoquent
souvent Petite Mère au collège. Il prétend que les filles s'intéressent
215 à lui et me parle d'une certaine Laure qui l'aimerait. Je l'aperçois
parfois cette Laure dans la cour du collège, se promenant avec
ses camarades. Pourtant elle a l'air si lointaine, si inaccessible, je
me demande s'il me dit la vérité.

Moi, je suis timide et silencieux. Je n'aime pas les jeux brutaux
220 et j'adore lire. J'aime surtout les récits de science-fiction. J'aime
aussi beaucoup la poésie : Victor Hugo, Verlaine, Guy Tirolien[1].

Quand j'ai fini par m'endormir, j'ai rêvé de chevaux, de grands
chevaux blancs avec des œillères[2] vertes qui couraient le long de
la plage. Le sable volait sous leurs sabots. Parfois, ils sautaient
225 par-dessus les canots des pêcheurs et leurs crinières touchaient
les branches basses des amandiers-pays.

Je me demande ce que Bonne Maman aurait dit de ce rêve-là.
Quand nous étions à Ducreusse, chaque matin en buvant son café,
Bonne Maman étudiait ses rêves. Il y avait les rêves du premier

---

1. Victor Hugo (1802-1885) est un écrivain français ; Paul Verlaine (1844-
1896) est un poète français ; Guy Tirolien (1917-1988) est un poète français,
né en Guadeloupe.

2. **Œillères** : pièces de cuir placées au niveau des yeux des chevaux, pour les
protéger et les empêcher de regarder en arrière ou sur les côtés.

230 sommeil ; les rêves du devant-jour et ceux du mitan[1] de la nuit quand l'esprit est parti loin, très loin. Bonne Maman parlait tout haut et nous l'écoutions en riant en cachette :

— Bon Dieu ! Cette nuit, j'ai rêvé que ma dent était tombée. Cela veut dire que j'apprendrai une mort.

235 Parfois une voisine poussait la porte en se rendant au marché :

— Bonjour, Man Rosa. Comment va le corps ce matin ?

— Oh ! Krazé[2] comme d'habitude. Les douleurs ne me quittent pas. Est-ce que tu sais qu'à la fin de l'année j'aurai mes soixante-seize ans ?

240 Puis la voisine venait à l'objet de sa visite :

— Man Rosa, cette nuit j'ai rêvé que ma maison avait pris du feu. Je voyais les flammes rouges comme les fleurs du flamboyant[3] qui la dévoraient planche par planche.

Bonne Maman fronçait les sourcils :

245 — Est-ce que tu entendais des crépitements ?

La voisine secouait vivement la tête :

— Oui, oui et je voyais des tralées[4] d'étincelles bondir vers le ciel.

Bonne Maman en concluait alors qu'elle se querellerait violemment avec quelqu'un de son entourage et lui conseillait d'être 250 prudente.

Ce rêve que je ne savais pas expliquer m'a laissé tout perplexe. J'aurais bien préféré paresser au lit au lieu de me lever et de me préparer pour l'école. Mais Petite Mère a poussé la porte de notre chambre. Elle avait l'air grave :

---

1. **Mitan :** milieu.
2. Mot créole signifiant « fatigué ».
3. **Flamboyant :** arbre qui pousse notamment aux Antilles et qui porte de grosses fleurs rouge orangé.
4. Des traînées.

255 — Levez-vous, levez-vous. La radio ce matin a confirmé que le cyclone Hugo se dirige sur nous.

Daniel s'est assis sur son lit et a interrogé, encore incrédule :

— Tu as entendu l'information toi-même ?

Mais Petite Mère a refermé la porte sans lui répondre. Daniel
260 et moi, nous nous sommes regardés. Je voyais bien qu'il commençait à avoir peur. Cependant, comme d'habitude, il a joué les fanfarons[1] et a haussé les épaules :

— Tu sais, un cyclone ce n'est pas si terrible que cela. C'est juste de la pluie et du vent. Ce n'est pas comme les tremblements de
265 terre où la terre s'ouvre sous tes pieds et où tu es précipité dans ses profondeurs. En plus, les tremblements de terre causent des incendies. Une fois j'ai vu un film...

Je ne l'écoutais déjà plus. Je suis entré dans la salle de bains où j'ai fait couler l'eau sans me laver. Qui aurait l'esprit à se brosser
270 les dents et à prendre une douche un matin pareil ? Quand je suis entré dans la salle à manger, mon père avait fini de boire le café que Gitane, notre bonne, lui avait servi brûlant et fort comme chaque matin. Gitane vient de la Dominique et habite dans le quartier d'immigrés de Gachette. Parfois je m'amuse à parler
275 anglais avec elle[2] et j'aimerais bien l'accompagner une fois dans son île si mes parents me le permettaient. J'ai lu quelque part qu'elle compte 365 rivières aux eaux limpides, une pour chaque jour de l'année, et qu'y vivent encore des Amérindiens comme en Amérique du Nord. Gitane m'a seulement dit, quant à elle, que
280 son pays était très pauvre et que la vie y était difficile. La Barbade est la seule île de l'archipel des Antilles que je connaisse car j'y

---

1. **Fanfaron :** vantard, qui fait semblant d'être courageux et se vante d'avoir de nombreuses qualités.
2. Avant son indépendance, la Dominique a été une colonie britannique. La langue officielle y est toujours l'anglais.

suis allé l'an dernier en colonie de vacances. Elle ne ressemble pas beaucoup à la Guadeloupe, car elle est plate, sans relief. Daniel, par contre, connaît en plus Haïti où il s'est rendu avec l'école. Il
285 m'a parlé des montagnes, hautes à barrer le ciel et que l'érosion rend fauves[1], des fleuves impétueux[2] et des villes qui retracent un passé glorieux : Gonaïves, Saint-Marc, le Cap-Haïtien. Il m'a fait rêver en me décrivant la citadelle de Sans-Souci où le roi Christophe s'est tué avec une balle en or. Je me demande
290 pourquoi aujourd'hui Haïti est si pauvre et pourquoi son peuple émigre dans toutes les directions. Aux États-Unis, au Canada, en Europe et même chez nous.

Gitane était en pleurs et papa la rudoyait[3]. Il employait les mêmes mots que Daniel, à croire que le proverbe « tel père, tel
295 fils » a été inventé pour eux :

— Un cyclone, c'est un grand mot qui fait peur aux gens. En réalité, qu'est-ce que c'est ? Un peu d'eau et un peu de vent qui tourbillonnent ! Moi, j'étais ici pendant le cyclone Inès, il n'y a rien eu d'extraordinaire...

300 Gitane s'est mise à pleurer plus fort :

— Monsieur Fernand, même quand le vent fait un petit pet, ma case, elle tremble déjà. Est-ce que c'est dedans que je vais rester avec mes enfants ?

Petite Mère est entrée à son tour dans la salle à manger avec
305 Audrey. Mon père l'a prise à témoin :

— Éliane ! N'est-ce pas qu'un cyclone, ce n'est pas grand-chose ?

Petite Mère s'est assise. Elle est belle, Petite Mère. Quand j'étais petit, je me blottissais sur ses genoux, j'appuyais la tête contre sa poitrine et elle me lisait des histoires. Celles de la Belle au

---

1. **Fauve :** d'une couleur brune ou ocre orangé, aux teintes rousses.
2. **Impétueux :** fougueux, déchaîné, violent.
3. **La rudoyait :** la traitait durement.

310 bois dormant, de Cendrillon, du Chat botté et celle de la Petite Marchande d'allumettes. C'était mon histoire préférée. Mon cœur se serrait en pensant à cette pauvre petite fille qui essayait de se réchauffer en allumant une à une ses allumettes et qui, dans leur faible lueur, voyait se dessiner des visions de paradis.

315 Quand Petite Mère avait fini sa lecture, elle m'embrassait et me caressait les joues de ses mains si douces. À présent, quand je veux m'asseoir sur ses genoux, elle me repousse en disant que je suis trop lourd. Elle ne m'embrasse guère non plus, sauf si je suis premier en classe, ce qui ne m'arrive pas souvent. Elle réserve 320 toutes ses tendresses pour Audrey. Comme c'est triste de grandir !

Petite Mère a dit :

— Regardons les choses en face, Fernand. Puisque ce Hugo arrive sur nous, il faut bien nous préparer à le recevoir. Il faut consolider les portes, les fenêtres, colmater[1] tous les interstices[2] 325 par lesquels le vent peut s'infiltrer. Aujourd'hui, Gitane, tu arrêteras ton travail à onze heures. Comme cela tu pourras aller à la quincaillerie[3] te procurer des clous et des feuilles de contreplaqué.

Alors là, Gitane s'est mise à sangloter :

— Ah ! Le Bon Dieu n'est pas bon. Nous n'avions pas besoin de 330 cela. C'est le cyclone David qui nous a fait quitter la Dominique, mon mari et moi. Quand il a fini avec nous, nous sommes restés sans rien. Mon mari a perdu son travail. À présent, voilà Hugo.

Mon père s'est levé, parce qu'il était temps pour lui de partir, mais aussi parce que toutes ces jérémiades[4] l'exaspéraient. Il 335 travaille à la banque, mon père, dans le quartier de Jarry. Il est

---

1. **Colmater** : boucher.
2. **Interstice** : petit espace ouvert entre deux éléments.
3. **Quincaillerie** : magasin où l'on peut acheter toutes sortes d'objets, d'outils, d'ustensiles.
4. **Jérémiades** : plaintes.

le premier à quitter la maison, parfois quand nous dormons encore, au volant de sa Renault 25[1], car il aime les belles voitures. Il s'habille aussi très bien parce que dans son bureau, il reçoit beaucoup de monde.

340   Il s'est tourné vers Petite Mère et a dit d'un ton moqueur :

— À quel moment ce monsieur Hugo nous rendra-t-il visite ?

Elle a répondu sans sourire :

— Demain matin, je crois. Mais il faut écouter les informations car il y a des bulletins spéciaux.

345   Nous avons terminé le petit déjeuner en silence.

---

1. Modèle de voiture fabriqué par le constructeur français Renault, entre 1984 et 1992.

II

Vendredi

Le collège Jean-Jaurès est situé dans la vieille ville dans une rue paisible bordée d'arbres, non loin des quais. Dans la vieille ville, il n'y a pas de tours de béton. Elle ne comprend que des maisons hautes et basses avec des balcons et des maisons entre cour et
5 jardin entourant une petite place qui fut le théâtre d'événements historiques qui lui ont laissé ce beau nom : *place de la Liberté*. Sur les quais, il n'y a guère que des entrepôts où l'on vend du vin, des salaisons[1], de l'huile. Autrefois, des paquebots y jetaient l'ancre et déchargeaient un flot de voyageurs venus de l'autre côté de l'eau.
10 L'avion les a remplacés et on n'aperçoit plus de temps à autre, au bout du quai Ferdinand-de-Lesseps, que la silhouette blanche d'un paquebot de croisière américain.

Le collège Jean-Jaurès est le plus ancien établissement scolaire de notre pays. Il s'appelait autrefois le lycée Henri-IV. Mais, il y
15 a de cela quelques années, il a été rebaptisé, divisé en deux : un collège et un lycée d'enseignement professionnel. Les bâtiments du collège sont très modernes. Cependant je préfère le lycée d'enseignement professionnel. Avec sa cour plantée de sabliers[2] et de manguiers centenaires, ses balcons aux balustrades ouvragées[3]
20 et son lourd toit de tuiles, il possède un charme désuet[4]. C'est là

---

1. **Salaisons :** aliments, viandes ou poissons, que l'on conserve grâce au sel.
2. **Sablier (ou assacu) :** arbre tropical.
3. **Ouvragées :** travaillées, ornées, décorées.
4. **Désuet :** vieillot, démodé.

que mon père a fait ses études et il aime à nous dire qu'il était un excellent élève.

Quand, avec Daniel, je suis descendu de la voiture de Petite Mère, j'ai vu mon ami Frédéric avec son beau tee-shirt rouge « California » qui me guettait. Il est arrivé vers moi en courant :

— Est-ce que tu connais la nouvelle ?

J'ai haussé les épaules :

— Qui ne la connaît ? Il va y avoir un cyclone...

Il m'a donné une bourrade.

— Il ne s'agit pas de cela, idiot ! Cet après-midi, nous n'aurons pas d'école. On nous renverra tous chez nous.

J'étais stupéfait :

— Mais pourquoi cela ?

Il a éclaté de rire :

— Eh bien, pour que nous allions acheter des clous, des pointes, des tire-fond[1], des faîtières[2], des feuilles de contreplaqué ou de tôle et que nous aidions nos parents.

Frédéric est né le même jour et la même année que moi. Quand nous nous en sommes aperçus, cela a causé notre amitié. À présent, nous nous considérons comme des frères. Frédéric est beaucoup plus grand que moi, plus costaud aussi. Dans les bagarres, il vient toujours à mon secours. De caractère, il ressemble à Daniel, toujours à faire des blagues et à raconter des histoires. Lui aussi, il prétend que les filles s'intéressent à lui et il se moque de moi à qui elles font tellement peur. Comme je le connais, j'ai cru qu'il me faisait encore une farce en me parlant de cet après-midi de vacances inespérées. Mais les autres élèves, en se mettant en rang, ne chuchotaient que cela :

— Il n'y aura pas classe cet après-midi.

---

1. **Tire-fond** : sorte de vis.
2. **Faîtières** : tuiles servant à couvrir l'arête centrale d'un toit.

50   Le professeur de français, Mlle Jeanne-Marie, avait l'air terrorisé. C'est le plus jeune professeur du collège. Il n'y a qu'un an qu'elle est revenue au pays après ses études à Montpellier. Malgré sa jeunesse, c'est la plus dynamique de tout l'établissement. Avec ses meilleurs élèves, elle a formé un club *Poètes de demain* qui
55 se réunit une fois par mois dans son appartement pour discuter. Parfois, quand mes parents m'y autorisent, je me rends à ces réunions. Mais je vois bien que ceux qui y assistent n'ont d'autres désirs que de dévorer les gâteaux et boire les jus de fruit, que Mlle Jeanne-Marie leur offre.

60   Mlle Jeanne-Marie n'a pas d'autorité sur ses élèves.

Mais elle est si jolie, si douce que nous sommes tous un peu amoureux d'elle et que nous ne chahutons pas trop dans ses classes. Même Manuel, la forte tête qui a fait pleurer Mme Sidonie, le professeur de mathématiques, se tient à peu près tranquille.

65   Mlle Jeanne-Marie nous a dit :

— Aujourd'hui nous ne travaillerons pas. Je vous ai apporté un poème de Saint-John Perse[1] qui parle de l'arrivée des cyclones quand il était enfant. Est-ce que vous savez qui est Saint-John Perse ?

70 Personne n'avait envie de le savoir à ce moment ! Un élève a levé la main :

— Mademoiselle, est-ce que vous avez peur de Hugo ?

Mlle Jeanne-Marie a hésité un moment, puis a répondu :

— Oui, j'ai peur. Il paraît que les cyclones s'accompagnent
75 souvent de raz de marée terribles et que ce qui n'a pas été emporté par le vent est détruit par l'eau.

Un autre élève a interrogé :

---

1. Saint-John Perse, pseudonyme d'Alexis Leger (1887-1975), poète, écrivain et diplomate français né à Pointe-à-Pitre.

— Mademoiselle, mademoiselle, est-ce que vous resterez toute seule chez vous demain ? Je peux bien venir vous tenir compagnie.

80 Tout le monde a éclaté de rire. Moi, j'ai trouvé qu'il exagérait, mais Mlle Jeanne-Marie a souri sans se fâcher :

— Non, j'irai chez mes parents.

La matinée s'est passée dans la plus grande confusion. Les professeurs essayaient d'être sévères et de nous faire travailler.

85 Mais on voyait bien qu'ils avaient l'esprit à tout autre chose et qu'ils auraient préféré être ailleurs. Enfin midi est arrivé. Comme nous descendions quatre à quatre le grand escalier du collège, Frédéric a passé son bras sous le mien :

— Où vas-tu maintenant ?

90 J'ai été surpris de sa question :

— Je vais rejoindre ma mère comme d'habitude.

Il a levé les yeux au ciel :

— Je te reconnais bien là. Pas dégourdi pour un sou[1]. Ce que je te propose, c'est d'aller chez moi téléphoner à ta mère en disant

95 que tu déjeunes avec moi et d'aller prendre un bain à la piscine de l'hôtel des Hibiscus.

— L'hôtel des Hibiscus ?

C'est un très bel hôtel qui vient d'être inauguré à Gosier. La télévision a fait un reportage à ce sujet et nous a fait admirer ses

100 chambres climatisées, son bar décoré de plantes vertes, ses trois salles à manger et sa piscine olympique[2] dont l'eau bleue paraissait une invitation. La proposition me plaisait.

— Ou si tu préfères, on pourrait aller au cinéma ? J'ai vu qu'au cinéma *Normandie* on jouait un film américain de science-fiction.

105 Alors là, j'étais séduit. J'ai murmuré :

---

1. **Pour un sou :** du tout.
2. Piscine dont la longueur (50 mètres) correspond aux normes des compétitions, notamment des jeux Olympiques.

— Petite Mère ne le voudra jamais !

Il a haussé les épaules :

— Tu t'imagines peut-être que nous lui dirons où nous allons ?

Je suis resté bouche bée et il a expliqué avec patience :

110 — Est-ce que ta mère sait que nous n'avons pas d'école cet après-midi ? Elle s'imaginera qu'après avoir déjeuné chez moi, tu es retourné au collège.

À ce moment, quand nous parlementions sur le trottoir, Daniel est venu vers moi. Il avait déboutonné sa chemise jusqu'à la taille 115 et il fumait, deux choses que mon père lui interdit. Il m'a dit :

— Écoute, tu diras à Petite Mère que je déjeune chez Jean Lefranc.

J'ai éprouvé un sentiment de honte. Est-ce que dans de pareilles circonstances, à l'approche d'un cyclone, nous n'aurions pas dû 120 rentrer chez nous ? Au lieu de cela, nous ne pensions qu'à des escapades[1]. Le midi, mon père ne déjeune jamais à la maison, pris qu'il est par ses rendez-vous d'affaires. J'imaginais Petite Mère seule avec Audrey et Gitane se faisant du souci à cause de Hugo. Mais les propositions de Frédéric étaient par trop alléchantes. 125 Je l'ai suivi.

Frédéric et sa grande sœur Nathalie sont ce que l'on appelle des enfants du divorce. Leurs parents se sont séparés il y a trois ans. Ils ont d'abord vécu avec leur mère. Puis celle-ci s'est remariée avec un homme très méchant qui n'a pas voulu d'eux. Aussi ils 130 sont revenus vivre avec leur père et ne voient plus leur mère que deux week-ends par mois. Je me demande comment je pourrais supporter une situation pareille, moi qui ai tant besoin de Petite Mère !

Le père de Frédéric est un avocat, ce qui fait qu'il n'est pratique- 135 ment jamais à la maison. Une servante à l'air grognon, Huberte,

---

1. **Escapade :** fait de s'échapper, de quitter un lieu sans être vu.

s'occupe des repas et le soir, une étudiante, Marie-Josée, vient surveiller le travail de Frédéric. Frédéric est très fier de la maison de son père qui avant lui a appartenu à son grand-père, lui aussi un avocat.

140   Le rez-de-chaussée a été loué à un modéliste[1] très connu dans notre pays et même en France, je crois, Simon Siméus. À cause de cela, il y a toujours autour de la maison des allées et venues de jeunes et jolies dames et demoiselles venues admirer, essayer, commander des vêtements à la mode. Les employées, parées[2],
145 coiffées comme des mannequins, ont baptisé Frédéric Frédo, et lui font toutes sortes de mamours[3].

    Nous nous sommes engouffrés dans l'escalier en chahutant et en lançant nos cartables en l'air. Huberte est sortie sur le palier :

— Ah non ! Ne faites pas de désordre, s'il vous plaît. Vous ne
150 savez pas que le cyclone arrive sur nous ?

    Frédéric ne l'a même pas regardée.

    Bien qu'elle ne soit pas moderne, je pense que la maison de Frédéric est plus belle que la nôtre avec ses hauts plafonds, ses poutres apparentes et son jardin intérieur planté de lataniers[4]
155 et de bougainvillées[5]. Au deuxième étage sont les chambres et au-dessus d'elles, un immense galetas plein de vieux livres, de vieux vêtements et de malles remplies d'objets hétéroclites[6]. Nous nous y amusons quelquefois et par les fenêtres, je regarde les carreaux de ciel bleu.

---

1. **Modéliste :** créateur de mode.
2. **Parées :** apprêtées, habillées avec élégance.
3. **Mamours :** baisers et caresses.
4. **Lataniers :** variété de palmiers.
5. **Bougainvillées :** arbustes aux couleurs éclatantes.
6. **Hétéroclites :** disparates, très différents.

160　　Dans la salle à manger, Huberte avait déjà servi le repas et Nathalie, la sœur de Frédéric, mangeait tout en lisant un illustré[1] posé à côté de son assiette. Frédéric s'est moqué :

— Toujours tes romans-photos[2], je parie ?

Nathalie n'a pas levé les yeux.

165　　Frédéric lui a tiré les cheveux :

— Espèce de crétine ! Est-ce que tu ne vois pas que tu t'abrutis ?

En vérité, mes parents n'apprécient pas beaucoup mon amitié avec Frédéric. Ils disent, et peut-être n'ont-ils pas tort, je l'avoue, qu'en somme, c'est un garçon dont personne ne s'occupe et qui est 170 très mal élevé. Moi, j'aime sa gaieté, son indépendance d'esprit, toutes qualités que je ne possède pas. À un cours d'histoire, alors que le professeur, M. Rousseau, nous vantait la Déclaration des droits de l'homme et du citoyen de 1789, il lui a rappelé quelque chose qu'il tenait de son père. Cette Déclaration ne concernait pas 175 les esclaves des colonies, c'est-à-dire nos ancêtres. M. Rousseau était furieux, mais il a dû reconnaître que c'était la vérité.

Cependant, Frédéric inspectait les plats. Des tranches d'avocat, du boudin, du poisson frit et un gratin de cristophines[3]. Laissant retomber les couvercles, il a fait avec dégoût :

180　　— Des cristophines ! Ah, j'ai horreur de cela !

Toujours sans lever les yeux de son illustré, Nathalie lui a dit :

— Alors, va manger ailleurs !

Frédéric a éclaté de rire :

— C'est bien ce que je vais faire !

---

1. **Illustré :** magazine illustré.
2. **Roman-photo :** sorte de bande dessinée, dont les illustrations sont constituées de photos et qui raconte souvent des histoires d'amour.
3. **Cristophine (ou chayote) :** légume de la famille des courges poussant dans les pays chauds.

185   Il a disparu un instant, puis est reparu exhibant des billets de 100 francs et m'a demandé :

— Qu'est-ce que tu dirais d'un hamburger et de frites ?

En sortant, nous nous sommes heurtés à Huberte qui m'a regardé avec pitié :

190   — Pourtant, tu as l'air d'un bon garçon, toi. Comment fréquentes-tu ce vaurien ?

Sur le trottoir, les employées du magasin, riant et échangeant des plaisanteries, se dirigeaient vers leurs voitures. Il était clair que le cyclone ne leur faisait pas peur. Frédéric s'est approché 195 de l'une d'elles et a entouré sa taille de ses bras. Elle l'a embrassé et a dit câlinement :

— Qu'est-ce que tu veux, mon petit Frédo ?

Il a levé la tête vers elle :

— Veux-tu nous déposer au Club Burger ?

200   Pendant le trajet à travers les rues encombrées de la Pointe, pleines de piétons indisciplinés, de scooters, de motos et de toutes sortes de voitures, je ne pensais qu'à Petite Mère. Peut-être mon père était-il rentré pour la réconforter ? Est-ce que je n'aurais pas dû être là moi aussi, ainsi que Daniel, pour aider à consolider portes 205 et fenêtres, à réparer cette fuite qui s'est déclarée depuis peu dans le galetas ? Notre living-room s'ouvre par de larges baies vitrées. Que deviennent les baies vitrées en cas de cyclone ? Est-ce que la violence du vent les fait voler en éclats ? Est-ce que les débris de verre ne deviennent pas autant de projectiles, meurtriers comme 210 des balles de revolver ?

Je pensais à la pauvre Gitane dont la case si précaire[1] fait de l'eau à chaque averse. Ne devrait-elle pas se réfugier chez nous avec son mari et ses enfants ? Nous sommes tout de même mieux protégés !

---

1. **Précaire :** qui n'est pas solide, stable, sûr.

215 Frédéric a jeté un coup d'œil vers moi et a raillé[1] :
— Quelle tête d'enterrement tu fais !
Je n'ai rien répondu, car je n'étais pas fier de moi...
Le Club Burger est situé un peu en dehors de la ville, à la Marina.
La Marina est un développement récent avec ses restaurants
220 et ses appartements « les pieds dans l'eau » comme le clame la
publicité à la télévision. Mon père nous a dit qu'à cet emplace-
ment, quand il était petit, s'élevait un quartier de constructions
marines. Dans des hangars de tôle, les charpentiers de marine et
leurs apprentis coupaient et rabotaient les planches servant à la
225 fabrication des embarcations[2], les assemblaient, les enduisaient
de matières destinées à les rendre imperméables, les peignaient.
Quand ils avaient bien travaillé, ils allaient vider un verre dans un
des débits de boissons où l'on vendait aussi des cigarettes et du
tabac à chiquer[3] et faire une partie de dominos. L'air sentait en
230 permanence la sciure de bois, le goudron, le vernis et la peinture.
Je ne sais pas où tous ces artisans se sont installés à présent. La
Marina est surtout fréquentée par des touristes et des étrangers.
Les bateaux qui y sont à l'ancre[4] sont pour la plupart des voiliers
ultramodernes, monocoques ou multicoques[5], d'une blancheur
235 étincelante sous le soleil. Il paraît qu'ils n'appartiennent pas tous à
des gens très riches qui vont d'île en île, mais qu'il est possible de
les louer pour des croisières à travers l'archipel. Comme j'aimerais
partir ainsi sur l'eau, loin, loin, jusqu'aux Grenadines par exemple
ou même au-delà ! Il paraît qu'un navigateur guadeloupéen qui

---

1. **A raillé :** s'est moqué.
2. **Embarcations :** petits bateaux.
3. **Tabac à chiquer :** tabac destiné à être mâché et non fumé.
4. **À l'ancre :** qui sont postés là, fixés à l'aide de leur ancre.
5. **Monocoques ou multicoques :** bateaux composés d'une seule (mono-)
ou de plusieurs (multi-) coques.

240 avait dérivé avec son catamaran[1] s'est retrouvé jusqu'aux côtes
du Yucatán, au Mexique !

La mer me fait peur et m'attire à la fois. Elle parle de liberté,
d'évasion, mais aussi de dangers redoutables, cachés dans les
replis des vagues et dans la houle. Elle procure à l'homme de la
245 nourriture, mais est aussi capable de le tuer. Elle est imprévisible ;
douce, puis soudain rageuse, violente. Je pense à ceux qui traversent les mers et les océans en solitaire, livrés pendant des jours
et des jours à leurs seuls caprices, sans autre compagnie que ce
bleu s'étendant sans fin autour d'eux. Que doivent-ils éprouver ?

250 Pour l'instant, la mer souriait et léchait gentiment les coques
des bateaux. Comment deviendrait-elle au moment du cyclone ?
S'élèverait-elle haute et rigide comme les murailles de la mer Rouge
dans le film *Les Dix Commandements*[2] que j'ai vu en vidéo et
lancerait-elle rageusement sur la terre les voiliers et les hors-bord ?

255 Au Club Burger régnait un vacarme assourdissant. Il était plein
de jeunes gens riant, se bousculant devant les fontaines de Coca-
Cola, dévorant leurs hamburgers à belles dents et apparemment
se souciant peu du lendemain. Malgré nos supplications, Petite
Mère ne nous amène que rarement, Daniel, Audrey et moi, au Club
260 Burger sous prétexte que ces nourritures-là contiennent trop de
féculents. Je crois que Daniel a raison et que Petite Mère est un
peu vieux jeu. Ce qu'elle aime, ce sont les bons plats traditionnels
qu'elle a mangés dans son enfance et qui contenaient, j'en suis
sûr, autant de féculents.

265 Frédéric et moi, nous avons pris place près d'une fenêtre et
nous sommes installés avec nos boîtes et nos gobelets de carton.

---

1. **Catamaran :** bateau à voile à deux coques.
2. *Les Dix Commandements* (1956) est un film américain de Cecil
B. DeMille, racontant l'histoire de Moïse selon l'Ancien Testament ; Moïse
y fait s'écarter les eaux de la mer Rouge.

Je préfère ne pas me demander où il a trouvé l'argent nécessaire à pareil festin.

La bouche pleine de frites, il m'a demandé :

270 — Alors qu'est-ce qu'on fait ? La piscine ou le cinéma ?

J'ai objecté :

— Mais nous n'avons pas nos maillots !

Il a fouillé dans ses poches et a brandi deux slips de bain multicolores :

275 — Heureusement que je suis là pour penser à tout ! Que ferais-tu sans moi ?

J'ai encore objecté :

— Comment ferons-nous pour arriver à l'hôtel des Hibiscus ?

Il a levé le pouce d'une manière significative. De l'auto-stop ?

280 Que diraient mes parents s'ils savaient que j'étais debout sur le bord de la route suant sous le chaud soleil d'une heure de l'après-midi, faisant des signes aux voitures ? Mon Dieu ! Si ma tante Sylvia ou mon oncle Nelson qui habitent Sainte-Anne me voyaient en rentrant chez eux ? Eux qui sont si sévères ? Mes parents se

285 servent rarement du fouet ou de la ceinture. Ils disent que ce sont des pratiques d'un autre âge et qu'on doit plutôt faire appel à la raison des enfants. Mon père surtout a horreur des châtiments corporels[1]. Je crois que cela lui vient de son enfance. Je l'ai entendu raconter comment son père a bien failli le tuer un jour qu'il le

290 frappait du plat de son coutelas[2]. Même quand Petite Mère est convoquée au collège pour les impertinences de Daniel, elle ne le frappe jamais. Elle le prive de télévision ou de sorties. Mais aujourd'hui, je crois bien que je recevrais une raclée exemplaire.

---

1. **Châtiment corporel :** punition sévère et violente, utilisant la force physique pour infliger une douleur à la personne visée – par exemple, avec le fouet ou la ceinture mentionnés ici.
2. **Coutelas :** grand couteau.

Malgré nos signaux, les voitures passaient à toute allure sans
295 faire attention à nous. Je commençais à me décourager, car cela
faisait près d'une heure que nous étions là à danser d'un pied sur
l'autre et à agiter nos mouchoirs quand une Jeep Cherokee noire
a fini par s'arrêter.

Elle avait à son bord un couple de jeunes métropolitains[1],
300 coiffés d'identiques visières vertes. Le jeune homme était torse nu,
très bronzé. La jeune fille, très bronzée elle aussi, portait sur son
maillot un short à pois roses. Ses longs cheveux couleur de paille
flottaient dans l'air. En m'installant à l'arrière de la Jeep, je les ai
regardés avec méfiance. Ils semblaient pourtant sympathiques
305 et puis c'étaient les seuls qui se soient arrêtés pour nous prendre.
Mais nous ne fréquentons guère de métropolitains. Mon père, qui
en côtoie plusieurs dans son travail, n'en reçoit jamais à la maison.
Petite Mère n'a dans son salon que des clientes guadeloupéennes.
C'est que nous nous faisons d'eux une idée assez particulière.
310 Nous croyons qu'ils ne s'intéressent pas vraiment à notre pays,
à nos problèmes, et désirent seulement profiter du soleil et de la
mer. Ils appartiennent à un monde que nous ne cherchons ni à
connaître ni à comprendre et que nous regardons de loin à travers
des préjugés hérités de notre histoire. La réciproque est vraie.
315 Les métropolitains se tiennent à l'écart de nous. Je me demande
s'il existe des pays où les problèmes entre les communautés ne
se posent pas et où la couleur de la peau n'a pas d'importance.

Le jeune homme nous a souri :

— Je m'appelle Pascal ; elle, c'est Manuéla. Comme ça, vous
320 avez fait l'école buissonnière ?

---

1. **Métropolitains :** les métropolitains vivent dans la France hexagonale,
contrairement aux habitants des territoires français d'outre-mer, dont les
personnages du roman font partie.

J'ai laissé à Frédéric le soin de répondre. Au bout de quelques minutes, voilà qu'ils riaient tous les trois, qu'ils étaient engagés dans une conversation des plus animées comme de vieilles connaissances. Frédéric leur conseillait les sites touristiques à
325 visiter, les spécialités à déguster, les boîtes de nuit où danser, avec l'assurance d'un guide chevronné[1]. À un moment, j'ai entendu Manuéla déclarer :

— Tout ce qui nous intéresse en fait, c'est Hugo, c'est le cyclone de demain !

330 Frédéric a haussé les épaules :

— Il n'y aura pas de cyclone !

Elle a protesté avec feu[2] :

— Ne dis pas cela ! Alors tout notre voyage est gâché !

Avait-elle tout son bon sens ? Croyait-elle qu'un cyclone était
335 une attraction au même titre que les combats de coqs dans les pitt'[3] ou les défilés de cuisinières le jour de la fête de Saint-Laurent[4] ? Savait-elle tout ce que cela risquait d'entraîner ?

Je l'ai regardée d'un air offusqué et elle m'a adressé un petit sourire :

340 — Et toi, tu n'es pas bavard ! Comment t'appelles-tu ?

J'ai dit d'un ton sévère :

— Je ne suis pas de votre avis concernant Hugo. Ce sera peut-être un grand malheur pour nous autres Guadeloupéens.

Elle a incliné la tête :

345 — Je sais bien. Mais que veux-tu ? Pascal et moi, nous sommes des photographes. Nous sommes arrivés de la Dominique où nous étions en vacances dès que nous avons entendu la nouvelle.

---

1. **Chevronné :** expérimenté.
2. **Avec feu :** avec passion.
3. **Pitt' :** petite arène où ont lieu les combats traditionnels de coqs.
4. Saint Laurent est le saint patron des cuisiniers.

Tu sais, les photographes sont des voyeurs. Ils parcourent les champs de bataille, les camps de réfugiés, ils sont présents lors
350 des catastrophes et se battent pour prendre les clichés les plus sensationnels.

Je n'avais jamais pensé à cela. J'ai murmuré :

— Cela ne vous gêne pas ?

C'est Pascal qui a répondu gentiment :

355 — C'est notre métier ! Tu aimes bien, n'est-ce pas, avoir des images de ce qui se passe à travers le monde ? Il faut bien que quelqu'un les prenne !

Nous étions arrivés devant l'hôtel des Hibiscus. Je suis descendu. Il me semble que je ne regarderai plus jamais de la même
360 manière les photos des grands magazines ou certains reportages à la télévision.

*

Le temps s'était arrêté. Le ciel était par-dessus ma tête, si bleu, si bleu. Je flottais comme une algue à la surface de l'eau. Les voix des baigneurs me parvenaient assourdies. J'entendais Frédéric qui
365 discutait avec des Américains. Son père l'a envoyé dans plusieurs camps d'été en Amérique. Aussi il est toujours le premier de la classe et il parle l'anglais à la perfection. Il se vante d'avoir vu la Maison-Blanche à Washington, l'Empire State Building à New York, la maison de Thomas Jefferson et l'université qu'il a fondée
370 à Charlottesville en Virginie et même Hollywood à Los Angeles en Californie. Sur ce dernier point, je me demande s'il faut croire tout ce qu'il raconte. Il assure qu'il a serré la main de plusieurs stars et assisté au tournage d'un film dans les studios de la MGM...

Moi aussi, j'aimerais connaître l'Amérique, mais mon père
375 dit que je suis trop jeune. Je n'ai jamais entendu que les opinions

les plus contradictoires sur ce pays. Les uns disent que c'est une merveilleuse démocratie. Les autres affirment que les minorités y sont opprimées[1] et qu'il n'y existe pas de justice sociale. Mon père et Petite Mère qui s'y sont rendus avant la naissance de
380 Daniel sont eux aussi d'avis opposé. Mon père vante les énormes autoroutes à quatre voies, les chaînes de télévision multiples et l'arrogance des gratte-ciel tout de fer et de verre. Petite Mère, elle, ne se souvient que des sans-logis traînant toutes leurs possessions dans des chariots de supermarchés, des chômeurs et de la grande
385 misère des ghettos noirs. Pour me faire mon idée à moi, il faut donc que je voie ce pays de mes propres yeux.

Oui, le temps s'était arrêté. Le ciel était par-dessus ma tête, si bleu, si bleu. Je flottais comme une algue à la surface de l'eau. Il était dit cependant que je ne profiterais pas longtemps de ce
390 bien-être. Voilà que Frédéric s'est mis à s'égosiller[2] et à crier mon nom de toutes ses forces comme si un malheur lui était arrivé. Apparemment, il n'en était rien. Il se tenait debout sur le bord de la piscine, un verre à la main. Il m'a fait signe de m'approcher. J'ai obéi et il m'a tendu son verre, plein d'un liquide de couleur verte
395 où flottaient des glaçons, des tranches d'orange et une cerise rouge.

— Goûte cela !

J'ai de bonnes raisons de me méfier de Frédéric. Est-ce qu'une fois il ne m'a pas fait avaler des lamelles de caoutchouc en prétendant que c'était de la viande boucanée[3] ? Du sable en prétendant
400 que c'était de la poudre de maïs ?

Aussi ai-je flairé soigneusement le verre. Ses bords étaient curieusement recouverts de sucre en poudre. La boisson qu'il contenait

---

1. **Opprimées :** exploitées, victimes de persécutions.
2. **S'égosiller :** crier ou chanter fort, à en perdre la voix.
3. **Boucanée :** fumée.

avait une odeur assez agréable, comme poivrée, et puis je me suis
aperçu que j'avais très soif. Comme j'hésitais, Frédéric m'a expliqué :
405 — C'est quelque chose avec de la menthe ! Est-ce que tu ne
reconnais pas l'odeur ?

Encore un peu méfiant, j'ai trempé mes lèvres dans ce liquide
inconnu. Le goût en était inhabituel, pas désagréable pourtant,
amer et doux à la fois, épicé et sucré. En outre, cet étrange mélange
410 qui brûlait la gorge au premier abord semblait ensuite irradier[1] de
la fraîcheur à travers tout le corps. Surpris, j'en ai avalé plusieurs
gorgées tandis que Frédéric s'exclamait :

— Pas tout ! Pas tout ! Espèce de goulu !

Par jeu, j'ai bu presque tout le verre tandis que Frédéric rageait
415 et trépignait. Pour une fois, c'est moi qui lui ai joué un bon tour !
Tout content, je me suis rejeté à l'eau.

Pourtant, au bout de quelques instants, est-ce l'effet du soleil
qui cligne des yeux là-haut ? J'ai été pris d'un sentiment d'engour-
dissement, de langueur. C'est comme si je n'avais plus d'énergie
420 ni de volonté. Pour un peu, je me serais laissé couler tout au fond
de l'eau. À un moment j'ai eu tout juste la force de rejoindre le
bord de la piscine et de m'affaler sur une chaise longue.

Le ciel était par-dessus ma tête, si bleu, si bleu. Tous les bruits
me parvenaient assourdis et puis s'éteignaient un à un.

*

425 — Réveille-toi ! Réveille-toi !

Hébété, j'ai ouvert à moitié les yeux. Dans ma bouche, un
mauvais goût avait remplacé celui de la boisson à la menthe. Je
me sentais nauséeux. Un marteau piqueur me défonçait le crâne.
Penché sur moi, Frédéric riait, goguenard :

---

1. **Irradier** : répandre, diffuser.

430 — Tout cela pour un malheureux verre de margarita !

J'ai répété sans comprendre :

— Margarita ?

Frédéric a pris un air moqueusement pédant :

— La margarita est un cocktail à base de tequila. Tu sais au
435 moins ce que c'est que la tequila ? Un alcool qui vient du Mexique.
C'est encore plus fort que le rhum.

J'aurais dû être furieux, mais je ne l'écoutais même plus. À la
couleur gris plombé du ciel, je m'apercevais que le soleil avait
commencé de descendre vers son lit et qu'il devait être assez
440 tard. En outre, la piscine était presque déserte. Seuls des enfants
jouaient encore et se chamaillaient autour d'une bouée écarlate.
J'ai ramassé mes vêtements à toute vitesse et j'ai commencé à
m'habiller tout en bégayant :

— Quelle heure est-il à présent ?

445 Frédéric s'est levé à son tour :

— Remercie-moi de t'avoir réveillé. Sans moi, tu dormirais
encore de ton sommeil d'ivrogne. Il est près de cinq heures.

Près de cinq heures ! Si nous mettions autant de temps pour
revenir en ville que nous en avions mis pour en venir, il serait
450 au moins six heures quand nous arriverions à la Pointe. C'est-
à-dire qu'il ferait nuit noire. Que ferait Petite Mère ? Sûrement
elle s'inquiéterait, irait devant le collège afin de voir ce qui m'y
retenait. Affolé, je me suis mis à courir à travers l'enfilade[1] des
salles à manger situées près de la piscine en manquant de renverser
455 un couple de touristes âgés qui retournait à sa chambre à petits
pas. Je ne me souciais plus de Frédéric qui courait derrière moi :

— Attends-moi, mais attends-moi donc !

---

1. **Enfilade :** succession (de pièces).

Heureusement, comme je débouchais dans le parking de l'hôtel des Hibiscus, un homme montait dans sa voiture. Je me suis
460 précipité vers lui et l'ai interrogé :

— Monsieur, est-ce que vous allez à la Pointe ? Est-ce que vous pouvez me déposer ?

Je devais avoir la mine si bouleversée qu'il m'a aussitôt fait signe de m'asseoir à côté de lui. Nous avons démarré et j'ai aperçu
465 Frédéric plié de rire sous le porche d'entrée et qui me regardait partir. Je crois que je ne le reverrai jamais de ma vie.

La voiture qui me ramenait en ville était une BMW. Elle avalait les kilomètres. Bientôt, les tours familières de la Pointe se sont dessinées contre le ciel. Avec un peu de chance, je ne serais pas
470 trop en retard. Mais voilà que sur le boulevard périphérique face à l'hôpital, mon conducteur s'est arrêté :

— Tu vas descendre ici. Moi, je continue jusqu'à Basse-Terre et je suis assez pressé avec ce cyclone !

Sans presque le remercier, j'ai pris mes jambes à mon cou, car
475 du boulevard périphérique au salon de Petite Mère, la distance était grande. Pas moins d'une demi-douzaine de rues et de trois carrefours à traverser.

À la hauteur de la quincaillerie Lebert, des voitures étaient garées dans tous les sens. Les gens sortaient du magasin les bras
480 chargés de paquets. Un homme s'efforçait d'enfermer dans son coffre arrière des faîtières peintes en rouge. Une femme avait empilé des seaux en métal sur sa tête. Je courais aussi vite que mes jambes me le permettaient et je suis arrivé en nage au salon de Petite Mère.

485 Il était désert. Pas une cliente. Pas une employée. Petite Mère était occupée à décrocher les photographies des murs. Elle avait déjà décroché tous les miroirs. Elle m'a dit sans colère, avec lassitude :

— Daniel et toi, vous n'êtes jamais là quand j'ai besoin de vous.
490 J'ai dû donner congé aux employées dès le bulletin météorolo-
gique de trois heures et j'ai dû courir toute seule au supermarché.
Malheureusement, je n'ai pas pensé à aller à la quincaillerie.

J'ai cherché une réponse, une explication, je n'en ai pas trouvé
mais cela n'avait pas d'importance, car Petite Mère enchaînait
495 d'un ton angoissé :

— Or ton père vient de me téléphoner. Il n'y a plus une seule
pointe[1] dans les quincailleries. Il est allé partout. Il paraît que ce
sera le plus terrible cyclone que la Guadeloupe ait connu, plus
terrible que celui de 1928.

500 J'ai bafouillé, effondré :

— Quand a-t-on annoncé cela ?

— Cet après-midi, quand tu étais au collège.

Quand j'étais au collège ? À ces mots, j'ai manqué de fondre
en larmes. Petite Mère a éteint la lumière et m'a poussé vers la
505 porte de sortie :

— Rentrons. Je reviendrai tout à l'heure avec ton père pour
protéger les vitrines avec des feuilles de contreplaqué. Dieu merci,
j'ai trouvé des piles pour notre poste à transistor[2], des lampes à
gaz avec des recharges, des bougies et j'ai acheté beaucoup de
510 conserves.

J'ai demandé naïvement :

— Mais pourquoi des lampes et des bougies ?

Petite Mère m'a expliqué patiemment :

— Parce qu'on aura des coupures de courant.

515 Mon Dieu, pendant le cyclone, on est donc plongé dans le noir !

À présent, devant la quincaillerie Lebert, c'était la vraie pagaille.
Les gens klaxonnaient, s'injuriaient d'une voiture à l'autre.

---

1. **Pointe :** clou.
2. **Poste à transistor :** poste de radio portable à piles.

La ville tout entière connaissait une atmosphère de catastrophe. Des piétons traversaient les rues sous le nez des voitures, forcées
520 de s'arrêter net. Des gens s'interpellaient :

— Ah ! ma chère, Hugo est sur nous !

— C'est ça même.

— Ayons confiance, Dieu est grand !

Pourtant au-dessus de nos têtes le ciel restait pur, bleu sombre,
525 sans une trace de nuages et les premières étoiles scintillaient amicalement. Pas un souffle de vent. Les grands amandiers-pays qui bordent l'avenue Félix-Éboué étaient raides comme des piquets. On aurait cherché vainement dans cette soirée ordinaire le signe, le présage de ce qui nous attendait. Mais qu'est-ce qui
530 nous attendait ? Personne ne pouvait le dire avec certitude.

Petite Mère a été la seule à s'arrêter à un feu rouge que toutes les voitures brûlaient allègrement[1]. Elle a dit pour elle-même :

— Il paraît que le pont de la Gabarre sera ouvert ce soir pour permettre aux bateaux de la Marina de venir s'abriter. Heureusement
535 que nous n'avons personne à aller voir en Basse-Terre. Avec ton père, je vais aller chez ta tante Sylvia pour l'aider. On dit que l'œil du cyclone[2] passera tout près d'elle à Sainte-Anne...

L'œil ! J'imagine un gros organe tout sanguinolent comme celui d'un cyclope[3] ! Quand je pense que cet après-midi où j'aurais pu
540 me rendre utile, courir pour mes parents à la quincaillerie ou au supermarché, afin de protéger la maison ou le salon de coiffure, j'ai fait de l'auto-stop, j'ai passé mon temps à la piscine, j'ai bu de l'alcool comme un inconscient, j'ai dormi ! J'aurais aimé tout

---

1. **Allègrement :** en toute insouciance.
2. **Œil du cyclone :** zone calme, généralement située au centre du cyclone.
3. Créature mythologique (décrite par Homère dans *L'Odyssée*) qui n'a qu'un seul œil, au milieu du front.

avouer à Petite Mère, qu'elle me gronde ou me punisse. Au lieu
545 de cela, elle m'a dit affectueusement :

— Il ne faut pas avoir peur pourtant. Ton père me l'a répété.
Notre maison est solide et quasiment neuve. Il paraît que le bois
résiste parfaitement aux cyclones car il bouge avec le vent et laisse
passer l'air. Ton père et ton oncle vont s'occuper de la fuite du
550 toit et pour les baies vitrées, ton père a acheté des rouleaux de
papier adhésif.

Elle m'a embrassé tendrement :

— Ce sera tout juste un mauvais moment à passer.

III

Vendredi soir

Petite Mère et sa sœur Sylvia sont nées à dix mois d'intervalle. Cela veut dire qu'elles ont grandi comme des inséparables, comme des jumelles. Quand Petite Mère apprenait la coiffure, Sylvia étudiait le secrétariat bilingue et elles partageaient le même studio à
5 la rue de Vaucouleurs à Bordeaux. Petite Mère a beaucoup aimé ses années d'études et nous parle avec nostalgie de ses promenades sur la place des Quinconces ou le long des quais du fleuve. Elle se plaît à nous raconter :

— Bordeaux est une ville froide, une ville austère[1] même.
10 Pourtant je m'y plaisais. À cause de son passé colonial souvent sombre, elle a gardé des liens avec nos pays et je m'y sens moins étrangère qu'à Paris par exemple.

L'intimité[2] entre les deux sœurs a hélas cessé dès le mariage de ma tante Sylvia quelques années avant celui de Petite Mère.
15 On peut dire que mon oncle Nelson est un vrai misanthrope[3]. Il travaille dans une compagnie d'aviation où il s'occupe du ravitaillement des avions. Sitôt ses heures de bureau terminées, il ne veut voir personne. C'est pourquoi il a choisi d'habiter à Sainte-Anne, non pas au bourg lui-même, mais sur un promontoire isolé que
20 l'on appelle le cap Servat et où il n'y a pas d'autres habitations. La maison est une villa coloniale[4] entourée d'une immense gale-

---

1. **Austère :** sévère, sans fantaisie ni gaieté apparente.
2. **Intimité :** grande proximité.
3. **Misanthrope :** qui n'aime pas les autres gens.
4. Villa inspirée de celles construites quand la Guadeloupe était une colonie.

rie, grande ouverte sur le large. Par beau temps, on aperçoit, se profilant[1] derrière les contours de Marie-Galante, l'île de la Dominique. Nous ne voyons souvent ni mon oncle, ni ma tante,
25 ni mes cousins Luc et Frantz, aussi sauvages que leur père et qui passent leurs week-ends à se baigner et à faire de la plongée sous-marine dans une crique déserte au pied de la falaise. Je dois être un peu misanthrope comme mon oncle Nelson, car j'aime le cap Servat, tout inhospitalier[2] qu'il soit. C'est un endroit couvert
30 de lichens et d'une plante épineuse aux belles fleurs violettes que fréquentent seulement les cabris[3] aux pieds agiles.

Oncle Nelson a dessiné lui-même l'intérieur de sa villa après un voyage qu'il a fait dans je ne sais quel pays. Le rez-de-chaussée n'a pas de cloisons. Il est entièrement occupé par le living-room
35 qui s'ouvre de plain-pied sur la cuisine. Les chambres et la biblio-thèque, car mon oncle possède beaucoup de livres et est un fou de lecture, sont en mezzanine ; on y accède par un petit escalier et elles sont disposées autour d'une galerie intérieure.

Quand nous sommes arrivés, mon oncle Nelson, contrairement
40 à ses habitudes, a manifesté un certain contentement[4] à nous voir. Il a serré la main de mon père plus chaleureusement qu'à l'accoutumée[5] en disant :

— Je peux dire que je n'y croyais pas du tout à cette histoire de cyclone. Mais nous avons reçu des informations de l'observa-
45 toire de Miami. Il a confirmé la trajectoire de Hugo. Droit sur la Guadeloupe. Nous avons une demi-douzaine d'avions qui vont annuler leurs vols et rester à l'aéroport.

---

1. **Se profilant :** laissant apparaître la forme de.
2. **Inhospitalier :** peu attrayant.
3. Aux Antilles, un cabri désigne une chèvre.
4. **A manifesté un certain contentement :** s'est montré plutôt content.
5. **À l'accoutumée :** d'habitude.

Mon père a haussé les épaules :

— Beaucoup de bruit pour rien. Je n'y crois pas encore, quant
50 à moi. Je fais tout cela pour rassurer Éliane et les enfants.

Vautrés devant la télévision, mes cousins Luc et Frantz ne
nous accordaient pas un regard. Ils avaient tout juste tendu leurs
joues à Petite Mère et à mon père. On peut dire qu'ils sont polis,
ces deux-là ! Oncle Nelson et tante Sylvia qui sont tellement à
55 cheval sur[1] les bonnes manières feraient bien de s'occuper de
leurs enfants.

Oncle Nelson a dit à mon père :

— Est-ce que tu pourrais m'aider à mettre des tire-fond sur
le toit ? Ce n'est pas facile de tenir une torche d'une main et de
60 frapper de l'autre. J'ai déjà planté des clous dans la galerie quand
il faisait clair.

Mon père a répondu simplement :

— Je suis venu pour cela.

Mon oncle et mon père ont disparu tous les deux derrière la
65 maison. Petite Mère et tante Sylvia se sont mises à parler réserves
et provisions. Tante Sylvia, qui avait acheté d'énormes bidons de
20 litres, voulait les donner à Petite Mère, car au cap Servat, il y a
une citerne comme dans les maisons d'autrefois. Je ne comprends
pas pourquoi pendant le cyclone, il n'y a pas d'eau.

70 Laissant Daniel et Audrey prendre place devant la télévision
avec Luc et Frantz, je suis sorti sur la galerie. La lune s'était levée
au-dessus de la mer qui ressemblait à une plaque de métal étincelante. Dans le ciel si pur, je cherchais la Grande Ourse quand
j'ai entendu distinctement un roulement, un grondement sourd.
75 On aurait dit qu'une armée s'avançait avec ses chars, ses batteries
antimissiles et tout son matériel lourd. C'était si effrayant, si
menaçant que je suis resté debout, incapable de bouger, comme

---

1. **À cheval sur :** très stricts à propos de.

cloué sur place. D'où venait ce bruit ? De loin, de très loin. D'au-
delà de l'horizon. J'ai couru appeler Daniel :

80 — Est-ce que tu entends ?

Il a prêté l'oreille, puis m'a regardé. J'ai lu dans ses yeux une
terreur égale à la mienne. Cette fois, il n'a rien trouvé, aucune
blague, aucune fanfaronnade, pour masquer ce qu'il ressentait et
il est resté silencieux. En même temps, nous avons compris : ce
85 grondement, c'était le bruit du cyclone qui s'avançait sur nous à
travers l'espace. Je ne pourrai jamais décrire les sentiments que
nous avons éprouvés debout sur cette galerie dans cette nuit en
apparence tranquille, entendant cette horrible rumeur[1] qui sur-
gissait nous ne savions d'où. Nous avions l'impression que Hugo,
90 Hugo le Terrible, s'adressait à nous de là où il était et nous disait :

— J'arrive, j'arrive et je serai aussi destructeur, aussi terrible
que mon nom l'indique !

Nous nous sommes précipités à l'intérieur de la maison, le cœur
battant. Luc, Frantz et Audrey regardaient précisément un film
95 catastrophe américain. Il y était question d'un tremblement de
terre. On y voyait des immeubles qui s'effondraient et des gens
qui étaient ensevelis sous les décombres[2]. Comment pouvaient-ils
supporter ces images en pareil moment ? J'ai fermé les yeux. Il me
semblait que cette grande voix mystérieuse résonnait toujours
100 dans ma tête :

— C'est moi Hugo, Hugo le Terrible et j'arrive !

À un moment, nous avons entendu un grand bruit au-dessus
de nos têtes, des cris aussi. Nous avons bondi et moi peut-être
plus que les autres. Nous sommes tous sortis en hâte et alors
105 mon père s'est avancé sur le bord du toit de la galerie. Il a crié :

---

1. **Rumeur :** bruit non identifié, lointain.
2. **Décombres :** ce qu'il reste après la destruction ou l'effondrement d'un
édifice.

— N'ayez pas peur. C'est Nelson qui a glissé. Les garçons, venez me donner un coup de main.

L'échelle est à côté du garage. Luc, Frantz, Daniel et moi, nous nous sommes précipités. Mais Petite Mère m'a retenu par le bras :

110 — Ah non ! Pas toi !

Furieux, j'ai obéi. Malgré mes treize ans, bientôt quatorze, elle me traite comme un bébé. Luc, Frantz et Daniel ont couru vers l'échelle. De là où j'étais resté à côté de Petite Mère, tante Sylvia et Audrey, je ne voyais rien. J'avais beau faire le tour de la maison,

115 c'était inutile. Affolée, tante Sylvia criait :

— Nelson, est-ce que tu t'es fait mal ?

Personne ne répondait et nous entendions seulement mon père qui donnait des ordres aux garçons :

— Pas comme cela ! Tiens-le plus droit ! Passe tes bras sous

120 ses hanches !

Enfin, mon père et les garçons sont apparus au bord du toit de la galerie au-dessus du garage, portant oncle Nelson qui semblait inerte. Sylvia et Petite Mère ont crié d'une même voix :

— Mon Dieu, il est mort !

125 Oncle Nelson a répondu en riant, mais on sentait bien que ce rire-là grinçait :

— Allons donc, je suis bien vivant !

Avec beaucoup de difficultés, mon père et les garçons sont parvenus à descendre oncle Nelson le long de l'échelle et à l'allonger

130 sur la galerie. Tante Sylvia interrogeait :

— Où as-tu mal ?

Mon père et mon oncle Nelson expliquaient :

— C'est la cheville.

Nous sommes arrivés à enlever à oncle Nelson ses lourdes

135 chaussures de basket et ses chaussettes. Déjà la cheville droite était énorme. Mon père la palpait doucement :

— Je crois qu'il n'y a rien de cassé, c'est une foulure. Tu as fait un faux mouvement.

Petite Mère a murmuré :

140 — Il faut appeler un médecin ! Quelqu'un est de garde à Sainte-Anne.

Oncle Nelson a secoué vivement la tête. Pourtant il était évident qu'il souffrait. Malgré la fraîcheur de la nuit, son front était couvert de sueur :

145 — Pas besoin de médecin. Sylvia, tu vas me faire chauffer de l'eau et du gros sel et mettre des compresses.

Tante Sylvia s'est mise à pleurer et Audrey aussi parce qu'elle la voyait pleurer. Nous ne pleurions pas, mais nous étions tous très abattus. Voilà ma tante Sylvia qui allait affronter le cyclone, 150 avec un mari invalide et deux enfants dans une maison isolée !

Tandis que Petite Mère et tante Sylvia se hâtaient de faire chauffer de l'eau salée, nous avons transporté tant bien que mal oncle Nelson sur le divan du living-room. Je dois avouer qu'il était très brave. C'est lui qui s'efforçait de nous réconforter, répétant 155 avec un pauvre sourire :

— Ce n'est rien. Je vous dis que ce n'est rien. Quelques compresses, une bonne nuit de repos et demain, je serai prêt pour Hugo !

Mon père s'est levé :

160 — Il faut finir de consolider le toit de la maison et celui de la galerie. Je trouve que certaines tôles ne sont pas suffisamment clouées. Les garçons, venez avec moi.

Cette fois, comme Petite Mère s'affairait avec tante Sylvia et ne s'occupait pas de moi, je l'ai suivi avec les autres. Nous 165 avons fait le tour de la maison jusqu'à l'échelle appuyée contre le mur du garage et nous sommes montés l'un après l'autre. Il n'était pas difficile de se tenir debout et de marcher sur le

toit plat de la galerie. Mais quant à celui de la maison elle-
même, c'était une tout autre affaire ! Les deux côtés étaient
170 en pente raide et il fallait s'accrocher aux petites lucarnes des
chambres, placer ses pieds avec précaution sur les tire-fond
pour parvenir à planter des clous dans les tôles. Ajoutons à
cela qu'il était très glissant ! Pourtant, là-haut, agrippé à la
faîtière centrale, je me suis senti plein d'une étrange exaltation,
175 tout-puissant. Il me semblait que j'étais tout près des étoiles.
Je voyais la mer sans limites devant moi. À ma gauche, au-delà
du moutonnement[1] sombre de la mangrove, j'apercevais les
lumières du bourg de Sainte-Anne. Même le grondement de
Hugo qui m'avait tellement fait peur tout à l'heure se diluait
180 dans l'espace et devenait un inoffensif murmure ! Je ne sais
pas combien de temps nous sommes restés là-haut, mais il
m'a semblé que cela avait duré une éternité.

Quand nous sommes redescendus, Petite Mère et tante Sylvia
avaient placé des oreillers sous la tête d'oncle Nelson. Elles avaient
185 bandé sa cheville et l'avaient fait reposer sur un meuble de manière
qu'elle soit surélevée. Ensuite elles lui avaient donné des analgé-
siques[2]. Oncle Nelson souriait crânement[3] :

— Demain, je vous dis que je serai d'attaque !

J'ai tiré Petite Mère par la manche et je lui ai dit d'un ton de
190 bravade en la regardant dans les yeux :

— Tout à l'heure, moi aussi, je suis monté sur le toit.

---

1. **Moutonnement** : ondulation, faisant penser au mouvement d'un troupeau de moutons.
2. **Analgésique** : médicament contre la douleur.
3. **Crânement** : d'une manière brave et fière.

IV

Samedi

Pourtant le jour était radieux ! Le soleil trônait comme les autres jours dans le mitan du ciel.

On nous avait annoncé que les vents et la pluie commenceraient de toucher la Guadeloupe dès le matin. Il n'en était rien et des
5 fenêtres du galetas j'avais beau scruter l'horizon, je ne voyais que du bleu à l'infini. Même la rumeur de l'ouragan semblait s'être complètement évanouie. Je n'entendais que les bruits d'un matin ordinaire : piaillements des oiseaux, pétarades des Mobylettes, vacarme des radios diffusant les informations ou le dernier air
10 à la mode.

Le samedi matin, quand mon père ne va pas au travail, nous prenons toujours un copieux petit déjeuner assez tardif, vers neuf heures : poisson frit avec des câpres, salade de concombre, tranches d'avocat. Mon père dit que l'habitude des petits déjeuners
15 copieux lui vient de son enfance. C'est qu'il est né et a grandi à la campagne. Son père possédait des terres et beaucoup de têtes de bétail dans la région de Capesterre. Ce n'était pas vraiment un cultivateur puisqu'il employait plusieurs ouvriers agricoles pour planter et récolter ses bananes, sarcler ses patates et mettre des
20 tuteurs à ses ignames[1]. Pourtant il lui arrivait de mettre la main à la pâte[2] et personne mieux que lui ne savait s'occuper des bêtes. Il avait épousé par amour ma grand-mère qui venait de la Pointe et

---

1. **Igname :** légume-racine poussant dans les régions tropicales.
2. **Mettre la main à la pâte :** participer directement au travail.

était institutrice, ce qui ne l'empêchait pas de déblatérer[1] à longueur
de journée contre les gens de la ville qui se croient toujours supé-
25 rieurs à ceux de la campagne. C'était un drôle de personnage, mon
grand-père, mort avant ma naissance. Il était très populaire dans
son voisinage parce qu'il était toujours en guerre contre l'Admi-
nistration, refusait d'aller voter en prétendant que la politique ne
servait à rien et encourageait toutes les grèves. Mon père a gardé
30 la nostalgie de son enfance, des gueuletons[2] que son père faisait
avec ses amis et des fêtes populaires où l'on dansait le lewoz[3].

Quand je suis descendu du galetas, tout le monde dormait
encore. Seule Gitane, debout pieds nus sur le carreau de la cuisine,
assaisonnait des tranches de vivaneau[4]. Je l'ai embrassée pour lui
35 dire bonjour et lui ai dit d'un ton rassurant :

— Tu vois, il ne s'est rien passé. Nous avons eu peur pour
rien !

Elle a secoué la tête sans sourire :

— Pas vrai ! Ils ont dit à la radio ce matin que Hugo a ralenti. Il
40 venait sur nous à 20 kilomètres à l'heure, je crois, et maintenant
c'est seulement à 15 ou quelque chose comme ça. Mais pour
venir, il vient. Et il paraît que plus le cyclone marche lentement,
plus c'est grave.

J'ai haussé les épaules :

45 — Qu'est-ce que tu vas chercher là ? Je crois qu'ils se sont
trompés tout simplement !

Gitane a insisté :

---

1. **Déblatérer :** en langage familier, parler beaucoup pour dire du mal de
quelqu'un ou de quelque chose.
2. **Gueuleton :** en langage familier, bon repas, avec beaucoup de choses à
manger et à boire.
3. Désigne la danse et la musique traditionnelles de rue, en Guadeloupe et
en Martinique.
4. **Vivaneau :** variété de poisson.

— Je ne crois pas. Il y a une dame qui reste sur le morne Laloge
et qui voit les choses. Eh bien ! Elle a vu une grande catastrophe
50 pour la Guadeloupe !

Allons bon ! Voilà les histoires extraordinaires qui commençaient à circuler ! Sans discuter davantage, je suis sorti de la
cuisine et je suis allé dans le living-room regarder une de mes
cassettes vidéo préférées : c'est *Autant en emporte le vent*[1], un film
55 américain. J'étais à cet endroit qui m'émeut toujours de la même
manière, lorsque la pauvre Mélanie accouche toute seule avec
Scarlett dans Atlanta cernée par la guerre, quand le téléphone a
sonné. C'était Frédéric. Il a dit d'un ton plaisant :

— Michel, je ne voulais pas mourir sans te demander pardon.
60 Tu es encore fâché ?

J'ai hésité :

— Non. Mais est-ce que tu te rends compte de ce que tu m'as fait ?
Frédéric a répété :

— Pardon, je te dis. Est-ce que tu vas à la librairie ce matin ?
65 C'est notre distraction du samedi matin. Quand maman va
à son salon, elle me dépose à la *Librairie Caraïbe* qui est située
non loin de la maison de Frédéric. On nous y connaît bien et
on nous y laisse lire les livres et les albums en toute tranquillité.
Bien que je mette la science-fiction par-dessus tout, j'adore les
70 bandes dessinées d'Astérix. Surtout *Les Lauriers de César* et
La Serpe d'or. C'est aussi à la *Librairie Caraïbe* que j'ai lu plusieurs
récits d'aventures et de voyages et un roman d'un auteur africain
que j'ai beaucoup aimé : *L'Enfant noir*[2].

---

1. Adapté du roman de Margaret Mitchell, ce film de Victor Fleming, sorti
en 1939, raconte l'histoire de Scarlett O'Hara, jeune femme de la haute
société du sud des États-Unis, pendant la guerre de Sécession (1861-1865).
2. *L'Enfant noir* (1953), largement inspiré de l'enfance de son auteur, Camara
Laye (1928-1980), raconte la jeunesse d'un garçon en Guinée.

Mais un matin pareil, avec le cyclone et l'accident survenu à
75 oncle Nelson, pourrais-je aller en ville ? J'ai dit à Frédéric que je
le rappellerai.

Cependant, au fur et à mesure que l'heure avançait, le quartier
résonnait de coups de marteau et de grincements de scie électrique. Gitane avait raison : personne n'avait oublié Hugo. Sur le
80 trottoir, j'ai vu passer notre voisin Petit Louis qui, comme chaque
matin, faisait courir sa chienne Toussine. Je l'ai hélé et lui ai dit :

— Encore une invention, ce Hugo !

Il a secoué la tête :

— Pas du tout ! Est-ce que tu ne sais pas que l'alerte numéro 1
85 a été déclenchée ? Simplement, Hugo a ralenti sa course. Il paraît
qu'il ne sera pas sur nous avant cet après-midi. Tu sais ce qui
m'est arrivé hier ? En aidant mon père, je me suis écrabouillé les
doigts avec un marteau...

Et il m'a montré sa main droite emmaillotée[1] d'un bandage
90 blanc. J'ai dit :

— Quant à mon oncle Nelson, hier soir, il a bien failli se casser
la jambe ! Ah ! ce Hugo, on s'en souviendra !

Nous avons ri tous les deux. Toussine passait son museau effilé[2]
à travers les barreaux de la grille. C'est un berger allemand de
95 deux ans. Je l'ai caressée et elle m'a léché les doigts. Je regrette
beaucoup que Petite Mère et mon père ne nous permettent pas
d'avoir des animaux domestiques à la maison. Un jour, Daniel
avait ramené un chiot noir et fauve qu'il avait ramassé dans la rue.
Mais mon père l'a obligé à le ramener à la Société protectrice des
100 animaux dont les locaux sont situés près de l'aéroport.

Comme je l'avais prévu, la matinée était bouleversée. Petite
Mère a décidé de se rendre au cap Servat pour aider ma tante et

---

1. **Emmaillotée :** enveloppée étroitement.
2. **Effilé :** long et mince.

mon oncle. Mon père devait retourner à la banque afin de mettre à l'abri tout le matériel informatique qui n'avait pu être protégé
105 la veille. Ensuite, ils se retrouveraient au salon de coiffure pour coller du papier adhésif aux vitrines. Puis, ils reviendraient à la maison s'occuper des baies vitrées. Nous voilà Daniel, Audrey et moi livrés à nous-mêmes.

Qu'allais-je faire ? Dans la cuisine, Gitane se hâtait de terminer
110 la vaisselle du petit déjeuner. Comme je passais dans le corridor, je l'ai entendue maugréer :

— Tous les mêmes ! Est-ce qu'elle ne comprend pas que j'ai beaucoup de choses à faire chez moi, moi aussi ? Avec mon mari qui a mal aux reins et personne pour nous aider à consolider le toit
115 et les cloisons. Est-ce qu'elle n'aurait pas pu me donner la matinée et une petite avance pour que je puisse acheter des provisions ? On se tue pour eux et ils vous traitent comme des chiens.

J'étais estomaqué ! Si je m'attendais à pareilles réflexions ! Cela fait plus de cinq ans que Gitane est à notre service. Nous
120 connaissons ses enfants et son mari que Petite Mère est allée voir quand il était à l'hôpital. Je la croyais heureuse avec nous et soudain, je réalisais qu'à ses yeux, nous la traitions de manière égoïste. Je suis entré dans la cuisine et lui ai dit d'un ton d'excuse :

— Veux-tu que je vienne avec toi te donner un coup de main ?
125 Elle m'a regardé avec commisération[1] et un peu d'amusement :
— Toi ?

Je me suis exclamé :

— Bien sûr ! Qu'est-ce que tu crois ? Je sais monter sur les toits et colmater les fuites. C'est moi qui ai consolidé tout le toit de
130 mon oncle Nelson hier et dans la nuit encore.

---

1. **Commisération** : compassion, pitié, fait de prêter attention aux malheurs d'autrui.

En moi-même, je demandais pardon au Bon Dieu pour ce mensonge. Est-ce que je ne devenais pas aussi vantard que Frédéric ? Gitane a empilé la vaisselle dans un des placards et s'est tournée vers moi :

135 — D'accord ! Viens avec moi puisque tu es le seul de toute cette famille à avoir bon cœur.

Nous sommes sortis ensemble et nous nous sommes dirigés vers l'arrêt du car. Sous l'auvent de bois marron, une foule attendait sous le soleil. Je n'avais jamais remarqué combien le soleil de 140 dix heures du matin est déjà chaud. La sueur coulait en rigoles[1] sur mon front. Je n'avais jamais réalisé non plus combien j'étais privilégié de m'asseoir dans la voiture climatisée de mon père ou de Petite Mère, sans perdre de temps, sans attendre ni guetter un véhicule qui ne venait pas. Au bout d'un temps qui m'a paru 145 interminable, le car est arrivé, venant des Abymes, et s'est arrêté dans un grincement de freins. Il était déjà bondé comme si tout le monde ce matin-là avait décidé de se rendre à la Pointe. J'ai trouvé à me coincer sur une banquette à côté d'une grosse femme qui s'étalait sur moi sans se gêner avec ses paquets. Mais bien 150 vite, les passagers m'ont fait lever pour une jeune femme portant un bébé. Une femme m'a même fait la remarque sévèrement :

— Est-ce que tu ne sais pas que les enfants doivent donner leur place aux grandes personnes ?

Je suis donc resté debout, me retenant comme je pouvais aux 155 montants des sièges. J'étais ballotté de droite et de gauche au gré des coups de frein et des coups de volant du conducteur qui évitait les ornières[2] de la route, les passants indisciplinés ou les voitures trop pressées. Il régnait dans le car une chaleur épouvantable. En outre, juste à la hauteur de mon oreille droite, un haut-parleur

---

1. **En rigoles :** en petits filets, en ruisselant.
2. **Ornières :** sillons creusés par les roues des voitures dans le sol.

160 diffusait à plein volume les derniers airs de Karapat[1]. Penser que des gens voyageaient tous les jours dans des conditions pareilles ! Les voyageurs montaient et descendaient à deux ou trois mètres d'intervalle, ce qui fait que le car ne cessait de s'arrêter et de repartir brusquement en me faisant à chaque fois trébucher et
165 tomber sur mes voisins. Après une demi-heure de ce calvaire, Gitane, qui était assise à l'arrière et que je ne voyais pas, m'a crié qu'il fallait descendre. J'ai évité, comme je le pouvais, les paniers, les sacs en plastique et les ballots de toutes sortes et enfin je me suis retrouvé à l'air libre.

170 Je connaissais le quartier Gachette qui fait face à l'hôpital et je savais que c'était le quartier des immigrés. Il y a beaucoup d'immigrés dans notre pays. Des Dominicains comme Gitane, chassés par la misère et les cyclones. Des Haïtiens, victimes eux de la violence politique et de la souffrance qu'elle entraîne pour
175 les peuples. Je me rappelle quand j'étais à l'école primaire, il y avait un petit Haïtien dans ma classe. Il s'appelait Désinor. Il ne parlait pas beaucoup et d'ailleurs nous ne lui adressions guère la parole. Je me dis à présent qu'il en était peut-être très malheureux.

Les rues du quartier Gachette sont étroites et sinueuses,
180 entourées de chaque côté de dalots[2] dans lesquels flottent sur l'eau sale toutes sortes de détritus[3]. Ces rues n'ont pas de nom, mais portent des numéros : 1-2-3-4 ; elles ne sont pas bordées de villas modernes, souriant derrière des jardins pleins de fleurs multicolores et variées comme dans notre cité. Il n'y a guère au
185 quartier Gachette que des cases en bois recouvertes de feuilles

---

1. Karapat est un groupe de musique guadeloupéen, particulièrement célèbre dans les années 1980 pour ses morceaux de zouk.
2. **Dalots** : petits canaux couverts servant à évacuer les eaux sous les routes ou les voies ferrées.
3. **Détritus** : déchets, débris, ordures.

de tôle décolorées et rapiécées, s'ouvrant directement sur les trottoirs et ne cachant rien aux passants de leurs tristes intérieurs.

Gitane habitait la rue 4. Sa maison peinte en bleu vif s'élevait dans une cour, au bout d'un corridor mal empierré[1], bordé de
190 palissades. De chaque côté de la porte d'entrée étaient plantés des crotons[2] jaunes, ce qui donnait à l'ensemble un air tout de même assez pimpant[3]. Ses deux filles, Patience et Gloria, tournaient autour de la maison sur une vieille patinette de bois tandis que son dernier-né, Georges, un gros bébé de huit mois, pleurnichait tout
195 seul assis dans son parc à côté de quelques jouets en caoutchouc. Je l'ai pris dans mes bras et il a promené sur ma joue sa bouche douce et baveuse. Sans transition, parce que je m'occupais de lui, il s'est mis à rire et à roucouler[4] comme les enfants de cet âge. Cela me plairait beaucoup d'avoir un petit frère à qui j'apprendrais à
200 nager ou à monter à bicyclette. Hélas, j'ai entendu Petite Mère répéter à plusieurs reprises qu'elle n'aurait plus d'enfants. Je me demande comment elle peut en être si sûre.

Soudain, sur le toit, ont retenti des coups de marteau et Gitane s'est exclamée :
205 — Bon Dieu ! Greg est là-haut. Pourvu que rien ne lui arrive.

J'ai reposé dans son parc le gros Georges qui s'est remis à pleurer instantanément et je suis sorti. En effet, Greg, le mari de Gitane, juché[5] sur une échelle, arrangeait le rebord du toit. Il y a quelques mois, peu après la naissance de Georges, Greg,
210 qui travaillait pour une entreprise de construction, a eu un

---

1. **Empierré** : recouvert de pierres.
2. **Croton** : arbuste dont les feuilles, vertes, rouges ou jaunes, sont très colorées.
3. **Pimpant** : aux couleurs vives et joyeuses ; agréable à l'œil.
4. **Roucouler** : faire un bruit qui ressemble au chant du pigeon.
5. **Juché** : perché, en position assise ou debout.

grave accident du travail. Il n'y a pas longtemps qu'il est sorti de l'hôpital et il se déplace encore avec peine. Ce n'était guère prudent qu'il se livre à pareils exercices. C'est ce que je lui ai dit et il m'a répondu :

215 — Qui va le faire pour moi ? J'attendais deux camarades, mais ils ne sont pas venus. Quand il s'agit de jouer au cricket[1], tout le monde est partant. Mais pour rendre service, c'est une autre affaire.

Quand je lui ai proposé de l'aider, il a secoué la tête :

— Ce que je fais là est trop difficile pour toi. J'essaie de mettre
220 une gouttière et un tuyau pour l'eau. D'habitude, nous n'en avons pas, mais j'ai peur parce que l'eau monte beaucoup par ici.

J'ai insisté :

— Alors qu'est-ce que je peux faire ?

Il a réfléchi un moment :

225 — Dis à Gitane de te donner les feuilles de contreplaqué que j'ai déjà coupées et regarde si tu peux les clouer sur les fenêtres.

J'allais lui obéir quand une amie de Gitane est arrivée tout essoufflée, poussant ses deux enfants devant elle :

— Vous avez entendu ? On a dit à la radio que ceux qui n'ont
230 pas des cases solides peuvent aller dans les écoles parce qu'elles sont en dur.

Gitane est sortie de la maison, Georges entre les bras :

— Quand c'est qu'on a dit cela ?

La voisine a répondu :

235 — Tout à l'heure, je te dis. Il paraît que les écoles de Carmel, de Petite-Croix et de Saint-Félix seront ouvertes.

Du coup, Greg est descendu de son échelle et s'est approché des deux femmes :

---

1. **Cricket :** sport collectif qui se joue avec une balle et une batte.

— Je me demande si cela n'est pas mieux, Gitane. Un bon coup
240 de vent sérieux et cette case-là est à terre. Tu as bien vu ce qui
est arrivé le mois passé !

Gitane hésitait :

— Et nos affaires ? Le linge des enfants ? Le matelas que je
viens d'acheter pour le berceau de Georges ?

245 Greg a haussé les épaules :

— On laisse ça. On laisse ça.

Ils étaient là tous les trois à se regarder pendant que le
gros Georges riait aux anges en fixant le ciel toujours bleu,
toujours pur au-dessus de nos têtes. Et moi, mon cœur se
250 déchirait dans ma poitrine. Que devait-on éprouver à quitter
sa maison et tous les objets auxquels on tenait, photographies
de parents et d'amis, dessins, tableaux, et à prendre refuge
dans une école de quartier ? J'aurais voulu pouvoir leur offrir
un abri. Hélas, je n'en avais pas la possibilité. Gitane s'est
255 tournée vers son amie :

— À quelle heure est-ce que l'école sera ouverte ?

La voisine a eu un geste d'ignorance :

— Je crois que c'est déjà ouvert. Si tu veux, allons voir à l'école
Saint-Félix.

260 Gitane a mis le gros Georges qui cette fois a commencé à
hurler entre les bras de son père et est partie. J'ai pris congé
de Greg à mon tour. J'avais honte comme si j'étais responsable
de ce qui se passait J'ai redescendu la rue 4, tristement, les
mains dans les poches de ce bermuda à carreaux bleu et vert
265 que j'aime tout particulièrement et qui s'accorde si bien avec
mon polo mauve. Pour la première fois, je comprenais à quel
point j'étais un enfant gâté et combien les petites misères dont
je me plaignais étaient secondaires. Mes parents travaillaient
tous les deux et étaient en bonne santé. J'habitais une maison

270 confortable et je ne manquais de rien. Je sentais la grande injustice du monde et je me demandais ce que je pouvais faire contre elle. Que peut un garçon de treize ans et demi pour changer le monde ?

J'atteignais le bas de la rue quand une femme debout sur le
275 seuil de sa porte, les poings sur les hanches, m'a dit en fronçant les sourcils :

— Tu es l'enfant de qui ? Tu n'habites pas par ici, non. Dépêche-toi de rentrer chez toi. Est-ce que tu n'as pas entendu que l'alerte numéro 2 vient d'être déclenchée ?

280 L'alerte numéro 2 ? Surpris, un peu effrayé, je l'ai questionnée :

— Pardon, madame, qu'est-ce que cela veut dire l'alerte numéro 2 ?

Elle a hésité comme si elle n'était pas très sûre et puis, elle m'a expliqué :

285 — Eh bien, il paraît qu'il faut rester chez soi à présent, ne plus circuler ni à pied ni en voiture.

Je n'ai pas attendu la fin de sa phrase et j'ai pris mes jambes à mon cou. Toutefois, en débouchant sur le boulevard périphérique, face à l'hôpital, exactement à l'endroit où j'étais la veille,
290 quelle surprise ! Des gens allaient et venaient tranquillement, des voitures, des bicyclettes, des motos roulaient comme d'habitude. Et surtout, le ciel était toujours bleu. Et surtout, pas un souffle d'air ! Est-ce que cette femme avait voulu me faire une mauvaise plaisanterie ? Elle n'en avait pas l'air cependant. Je ne
295 savais que penser. J'ai arrêté un jeune garçon qui venait vers moi, les cheveux coiffés comme ceux d'un rasta[1] et vêtu d'un jeans déchiré :

— Pardon, est-ce que c'est vrai que l'alerte numéro 2 vient d'être déclenchée ?

---

1. Le rasta porte généralement les cheveux longs tressés.

300   Il a passé sans s'arrêter en me lançant :

— Tout ça, c'est des bêtises. Il n'y aura pas de cyclone.

Je me suis mis à courir en direction du salon de Petite Mère. Je ne peux pas dire qu'à ce moment-là, j'avais peur, car tout semblait parfaitement normal. Aux carrefours, les marchandes
305   vendaient leur pacotille[1] habituelle, colliers, broches, bracelets en toc, mouchoirs de percale, fichus. Les magasins des Libanais de la rue du Centre étaient pleins de badauds[2] qui bavardaient, discutaient, regardaient les marchandises. Un vendeur faisait bruyamment de la réclame[3] pour une machine à laver et du
310   magasin de disques Khalil s'élevait la voix chaude de Ralph Thamar[4]. Était-il possible, était-il croyable que le malheur s'avance vers nous ?

Quand je suis arrivé près du magasin de Petite Mère, j'ai éprouvé un profond sentiment de soulagement, car les voitures de mes
315   parents étaient rangées le long du trottoir. J'ai poussé la porte et Petite Mère s'est exclamée avec stupeur :

— Qu'est-ce que tu fais là ?

J'ai répondu :

— J'étais allé aider Gitane. Mais en fin de compte, elle n'a plus
320   besoin de personne, elle se réfugiera à l'école Saint-Félix.

Mon père était agenouillé par terre et posait délicatement la dernière bande de papier adhésif sur la vitrine centrale. Il a hoché la tête :

---

1. **Pacotille :** désigne des objets sans grande valeur.
2. **Badauds :** flâneurs, promeneurs qui regardent et admirent ce qu'ils découvrent.
3. **Réclame :** publicité.
4. Ralph Thamar est un chanteur et compositeur né en 1952, en Martinique.

— Elle a raison. Je crois que tous les gens qui sont mal logés
325 feraient mieux d'agir comme cela. Ils seront plus en sécurité si
Hugo arrive.

J'ai aidé Petite Mère à enfermer dans un placard tous les produits
de beauté et je lui ai demandé :

— Est-ce que c'est vrai que l'alerte numéro 2 a été déclenchée ?
330 D'un air triste et inquiet, elle m'a répondu :

— Oui, à partir de trois heures, personne ne devra plus sortir.
Pauvre Sylvia, ce matin Nelson ne peut plus bouger. Sa jambe
est enflée presque jusqu'au genou. Pourtant il refuse toujours
de voir un médecin.

V

Samedi soir

Soudain, les grands vents se sont levés.

Ils se sont mis à courir et à faire la ronde autour de la maison. On aurait dit ces hordes de chevaux à moitié sauvages comme on en voit dans les westerns américains qui, ayant rompu leurs lanières et piétiné leurs enclos, galopaient, hennissaient furieusement, se cabraient dans la nuit. À certains moments, elles frappaient de leurs sabots de fer les fenêtres et les portes tandis que venaient s'ajouter à ce vacarme le miaulement, le jappement ou le feulement[1] d'autres bêtes aussi féroces qui prenaient part au sabbat[2]. Par la baie vitrée que découpaient en triangles les bandes de papier adhésif, nous voyions les arbres environnants se ployer sous l'étau[3] d'une main souveraine, tournoyer, lancer leurs branches dans l'air. Nous étions assourdis par ce fracas qui ne s'apaisait par instants que pour reprendre de plus belle. Bientôt, des projectiles lancés par d'invisibles mains furieuses vinrent heurter la maison de tous les côtés à la fois et la grande baie vitrée du living-room se mit à onduler, s'incurver[4] comme si elle allait se briser et voler en éclats. Petite Mère a pris Audrey dans ses bras en criant :

---

1. **Feulement :** cri du tigre ou du chat en colère.
2. **Sabbat :** dans les sciences occultes, rassemblement nocturne de sorciers et de sorcières.
3. **Étau :** instrument qui permet de tenir serré quelque chose, à l'aide de deux mâchoires commandées par une vis.
4. **S'incurver :** prendre une forme courbe, s'arrondir.

20 — Ne restons pas là. Allons dans la cuisine.

Déjà de grands paquets d'eau frappaient furieusement contre la façade et s'infiltraient par tous les interstices. Des rigoles se mirent à sillonner le carrelage du living-room, formant aussitôt de petites mares au pied des meubles. Mon père a ordonné à Daniel :

25 — Va chercher les serpillières et le seau. Nous allons éponger par terre, sinon nous serons inondés.

Dans l'air électrique, blanchi par la lueur incessante des éclairs, des formes que nous ne pouvions pas distinguer voltigeaient, s'abattaient ici et là avec des craquements de tonnerre. Je suis

30 entré dans la cuisine avec Petite Mère et Audrey. Celle-ci pleurait et s'agrippait à Petite Mère en répétant :

— Est-ce que nous allons mourir ?

Petite Mère l'a serrée contre elle en bégayant :

— Mais non, ma chérie, mais non !

35 Tout cela était d'autant plus effrayant que c'était brutal, inattendu. L'après-midi et le début de la soirée avaient été parfaitement calmes. L'alerte numéro 2 avait été repoussée de trois à six heures du soir. Même à cette heure-là, les voitures, les motos, les bicyclettes circulaient toujours comme si de rien n'était et notre

40 cité résonnait bruyamment d'airs de musique. On chuchotait que les Félix-Emmanuel, qui habitent le numéro 14 et ne parlent à personne, avaient décidé de donner une partie[1] en l'honneur de Hugo ! À six heures et demie, malgré les protestations de Petite Mère, mon père était allé jusqu'à l'aéroport s'acheter les cigarettes

45 américaines qu'il aime et au retour, il avait téléphoné à mon oncle Nelson. Comme il se moquait du bon tour que la météorologie nous avait joué, mon oncle l'avait fermement détrompé :

---

1. **Une partie :** une fête.

— Je viens encore de recevoir un coup de téléphone de mon bureau qui est en liaison constante avec Miami[1]. Hugo arrive bien.
50 Il sera d'autant plus terrible qu'il est plus lent. Son œil passera exactement à Saint-François. Pensez à nous qui sommes tout près.

Frédéric aussi m'avait téléphoné. Son père n'était pas encore rentré. Il était seul avec sa sœur Nathalie. Le connaissant, je lui avais conseillé de ne pas sortir de chez lui, mais il m'avait ri au nez :
55 — Rien de rien ! Il ne se passera rien de rien, je te dis ! Je parierais bien avec toi si tu avais de l'argent. Mais tu es un fauché !

Nous avions dîné tranquillement et mon père, pour égayer Petite Mère qui, elle, ne cachait pas son inquiétude, avait raconté des blagues du temps où il était étudiant à Paris. Nous avions écouté
60 les bulletins d'informations où les speakers[2] répétaient ce qu'ils avaient déjà annoncé la veille et l'avant-veille et montraient les mêmes cartes des dizaines de fois vues et revues. Franchement, nous n'y croyions plus guère à Hugo !

Sans transition, sans un avertissement, tout a changé. Petite
65 Mère a posé Audrey sur une chaise de la cuisine et s'est tournée vers moi :
— Il y a d'autres serpillières et des seaux que j'ai achetés hier dans le cagibi sous l'escalier. Va les porter à ton père.

J'ai longé le corridor qui partage la maison en deux et mène à
70 l'escalier du galetas, m'apercevant avec stupeur qu'il était inondé. D'où venait cette eau ?

Des rigoles dévalaient les marches et une large flaque s'étalait déjà devant la porte du cagibi. Était-ce la fuite du toit que nous croyions réparée ? Je suis retourné en courant dans le living-
75 room où mon père et Daniel épongeaient à tour de bras un flot continu et j'ai crié :

---

1. Miami est une ville américaine, en Floride.
2. **Speaker** : présentateur d'émission de radio ou de télévision.

— Papa, il y a de l'eau partout !

Mon père a bondi. Plantant là son seau et sa serpillière, il a monté l'escalier quatre à quatre, Daniel et moi sur ses talons.
80 Pendant l'hivernage[1], quand il fait très mauvais temps, il est déjà difficile de rester dans le galetas, car la pluie tombe bruyamment sur les feuilles de tôle du toit tandis que les vents semblent aboyer ou hululer[2] férocement. Ce soir-là, le tintamarre[3] était tel que nous devions hurler pour essayer de nous entendre.

85 Mon père et Petite Mère voulaient faire de cette pièce une salle de lecture et de jeux. Ils l'ont donc meublée d'une bibliothèque, de tables basses et de quelques fauteuils. Peu à peu cependant, elle est devenue un débarras où l'on entasse tout ce qui ne sert plus. Le tricycle d'Audrey, une table de ping-pong, un électrophone[4]
90 démodé, de vieux habits. C'est aussi là que mon père garde son vélo d'intérieur sur lequel il pédale tous les matins.

Tout était trempé. Drues[5] et serrées, les gouttes tombaient sur le plancher, sur les fauteuils, sur les tables avec des floc-floc-floc rapides. Mon père a levé la tête vers le toit qui littéralement
95 gouttait comme une passoire et a dit :

— On ne peut rien faire. Nous allons mettre des seaux sous les principales fuites, des bâches et des vieux journaux par terre. Tant pis pour les meubles ! De toute façon, ils n'ont pas de valeur. Les bâches et les vieux journaux sont dans le garage.

100 Sa voix restait calme, mais je sentais y naître la frayeur. Nous sommes redescendus en vitesse et nous avons lutté avec la porte du

---

1. **Hivernage :** saison des pluies, dans les pays tropicaux.
2. **Hululer :** crier, en parlant des rapaces nocturnes, comme la chouette ou le hibou.
3. **Tintamarre :** bruit très fort et peu agréable.
4. **Électrophone :** appareil permettant d'écouter des anciens disques.
5. **Drues :** fortes et denses.

garage qui sans doute sous l'effet du vent nous résistait et refusait de s'ouvrir. Le garage était aussi inondé. L'eau semblait suinter des murs, du plafond, de partout et le vent miaulait comme un chat en
105 colère en passant sous la porte métallique. Les deux voitures elles-mêmes semblaient apeurées et se serrer l'une contre l'autre. De retour au galetas, Daniel et moi, nous avons étalé de notre mieux les bâches et les vieux journaux sur le plancher tandis que mon père disposait des bassines et des seaux à des points stratégiques.
110 Toutefois, il nous semblait que nous accomplissions un travail stérile[1] comme celui de Pénélope[2], car à peine avions-nous étalé les journaux qu'ils étaient trempés et n'empêchaient pas l'eau de couler. Nous étions là, découragés, quand brutalement la lumière s'est éteinte. Plongés dans le noir. De la cuisine se sont élevés les
115 hurlements de terreur d'Audrey.

Nous avons de nouveau dévalé les marches de l'escalier et nous nous sommes précipités dans la cuisine. Petite Mère tournait sur elle-même comme une aveugle en murmurant :

— Où sont les allumettes ?

120 Mon père les a trouvées et a allumé la lampe à gaz. Nos visages ont émergé de l'ombre, creusés, ravinés[3] par la frayeur. Mon père a allumé une deuxième lampe à gaz, puis a posé la main sur l'épaule de Daniel :

— Éliane, Michel et Audrey, vous allez rester dans la cuisine.
125 Daniel et moi, nous allons faire l'inspection des chambres.

Ils sont sortis, mais sont revenus presque aussitôt et s'adossant à la cloison, mon père a expliqué à Petite Mère :

---

1. **Stérile :** vain, improductif.
2. Pénélope est un personnage de *L'Odyssée* d'Homère. Elle défaisait la nuit ce qu'elle avait tissé le jour. On appelle « travail de Pénélope » un ouvrage qui ne se termine jamais.
3. **Ravinés :** creusés, marqués en creux.

— Il y a de l'eau partout. Je ne sais pas par où elle entre. Les matelas sont trempés. Heureusement que j'avais acheté plusieurs bâches. Nous allons les étaler sur les lits.

Petite Mère est sortie à son tour. Audrey et moi, nous sommes restés seuls. La plupart du temps, Audrey m'agace, car elle est si gâtée que malgré ses huit ans, elle est insupportable. Toujours à faire des caprices, à m'empêcher de lire en paix ou de regarder mes cassettes[1]. Néanmoins, cette nuit-là, je n'avais conscience que d'une chose : combien elle était chère à mon cœur. Autour de nous, la pièce pourtant familière avec sa cuisinière, son Frigidaire et sa machine à laver devenait un territoire redoutable où flottaient des ombres mystérieuses. On aurait dit que nous étions seuls au monde, perdus, livrés à la méchanceté de monstres inconnus qui ne cherchaient qu'à nous dévorer.

Je l'ai prise dans mes bras. Elle a à nouveau demandé d'une toute petite voix tremblante :

— Est-ce que tu crois que nous allons mourir ?

Son cœur battait à coups si violents qu'ils ébranlaient sa poitrine et même tout son corps. J'ai caressé sa joue et j'ai murmuré :

— Voyons ! Petite Mère te l'a déjà dit. Nous ne mourrons pas.

Comme je prononçais ces paroles de réconfort, un bruit que je ne saurais décrire a retenti. On aurait dit l'explosion d'un volcan ou encore la collision[2] de deux camions lancés l'un contre l'autre à toute vitesse.

Lâchant Audrey, je me suis précipité dans le living-room. Un demi-tronc de poirier-pays avec ses branches, venu on ne sait d'où, venait d'atterrir dans notre jardin. J'ai frémi à l'idée que ce projectile aurait pu continuer sa course et pénétrer à l'intérieur

---

1. Les cassettes vidéo permettent de regarder des films et programmes télévisés grâce à un magnétoscope.
2. **Collision :** choc provoqué par la rencontre entre deux éléments.

de notre maison en creusant sur son passage un orifice[1] béant par lequel la pluie et le vent se seraient engouffrés. Derrière mon dos, Audrey a interrogé :

— Qu'est-ce que c'est ?

160 Je l'ai prise par la main et je l'ai ramenée dans la cuisine :

— Ce n'est rien. Tu sais ce que nous allons faire, nous allons écouter la radio.

J'ai cherché le poste à transistor que nous gardons dans un placard et que Gitane écoute en faisant son travail. Mes mains 165 tremblaient tellement que je ne trouvais pas la station. Soudain une voix s'est élevée, une voix jeune, une voix un peu gouailleuse et qui disait avec naturel des choses toutes naturelles :

— Pour les amateurs de salsa, je vais vous faire entendre un disque de la Sonora Enrique y Merced. Ce sont des Cubains qui 170 habitent à New York. Ils viennent de terminer une grande tournée en Colombie où, vous le savez, on est très amateur de salsa et ils ont remporté un succès considérable.

Je ne saurais expliquer l'effet que cette voix a produit sur moi en un moment pareil. C'était comme si un ami m'avait tendu la main 175 dans ma détresse, m'avait réconforté en me rappelant que tout cela allait finir et que demain viendrait. Je ne connaissais pas celui qui parlait, mais j'aurais aimé le connaître, car je le sentais proche de moi, aussi proche que Daniel, Audrey ou Frédéric. Là-dessus, la musique d'Enrique y Merced a empli la pièce, endiablée, rythmée, 180 une invitation à la danse. Et elle n'était pas déplacée : elle venait nous rappeler que la vie continuait. Comme étrangement rassuré, pour faire rire Audrey, j'esquissais quelques pas de salsa, Petite Mère, mon père et Daniel sont entrés dans la cuisine. Petite Mère s'est exclamée, stupéfiée[2] :

---

1. **Orifice :** ouverture.
2. **Stupéfiée :** extrêmement surprise.

185   — Quoi ? Tu danses à présent ?

J'ai pris sa main et l'ai entraînée :

— Pourquoi pas ?

Là-dessus, Daniel a passé le bras autour de la taille d'Audrey qui s'est mise à gigoter. Nous avons tournoyé en mesure quelques
190 instants tandis que mon père nous regardait avec stupeur en répétant :

— Vous êtes devenus fous, ma parole !

Puis, nous avons éclaté de rire. Quand je me rappelle cette nuit effroyable, je revis cet instant-là, ces petites minutes de lumière,
195 ces petites minutes de chaleur que nous avait offertes la magie de la voix d'un inconnu et de la musique qu'il avait choisie. Je n'ai jamais su le nom de cet animateur, mais je le remercie.

Autour de nous, Hugo le Terrible ne décolérait pas. Il continuait à tout saccager. Il continuait à semer la destruction et le malheur.
200 Qu'avions-nous fait pour exciter sa fureur ? Audrey a posé sa joue sur le bois de la table et a gémi :

— Petite Mère, j'ai sommeil.

Mon père et Daniel sont allés dans sa chambre et ont ramené le matelas de son petit lit enveloppé d'une bâche. Petite Mère y
205 a entassé des couvertures et l'a étendue précautionneusement. À présent, la radio diffusait des messages. Des enfants demandant des nouvelles de leurs parents. Des femmes seules avec des enfants et cherchant leurs maris. Des familles affolées qui sentaient s'effondrer leurs maisons. Une femme sur le point d'accoucher
210 et qui appelait à l'aide. Des détresses. Tant de détresses pour lesquelles je ne pouvais rien. Cependant, leur poids m'écrasait. Je me suis senti très las. J'ai appuyé ma tête contre le bois de la table et brutalement, j'ai plongé dans l'eau sans fond du sommeil.

*

Quand je me suis réveillé, j'étais seul dans la cuisine avec Audrey
215 qui dormait profondément. Tous les bruits semblaient éteints,
mais ce silence n'était pas apaisant. Au contraire. On aurait dit
que le fauve qui nous menaçait reprenait son souffle pour nous
avaler et en finir une bonne fois avec nous. Je suis sorti dans
le couloir et j'ai pataugé dans l'eau qui à présent atteignait mes
220 chevilles. J'ai crié, pris d'une angoisse extrême :

— Petite Mère, où es-tu ?

Car cela correspondait à un rêve, à un cauchemar que je faisais
régulièrement quand j'étais tout enfant. Je me réveillais dans la
maison déserte, plongée dans une totale obscurité. Mes parents
225 avaient disparu et je savais qu'ils n'allaient pas revenir, que je
ne les reverrais jamais plus et que j'allais finir ma vie sans eux.
C'était effroyable.

Heureusement, j'ai entendu la voix de Petite Mère :

— Nous sommes au galetas ! Monte !

230 J'ai couru la rejoindre. Mon père, debout sur une échelle, bou-
chait avec des journaux et du papier adhésif les espaces disjoints
entre certaines feuilles de tôle. Petite Mère et Daniel, qui avaient
entrebâillé une fenêtre, vidaient les seaux pleins d'eau au-dehors.

Petite Mère m'a interrogé affectueusement :

235 — Est-ce que tu as pu te reposer un peu ?

J'ai balbutié, incrédule :

— Est-ce que Hugo est parti ?

Elle a secoué la tête et a expliqué fiévreusement :

— Non, c'est l'œil qui passe sur nous.

240 L'œil ! Une fois de plus, j'ai cru voir s'ouvrir un organe sanguinolent comme celui d'un cyclope.

— Ton père en profite pour essayer de rafistoler le toit.

Daniel a déposé son seau et a grogné :

— J'aimerais bien aller dormir, moi aussi. Je n'en peux plus.

245 Mais mon père debout sur son échelle a crié :

— À ton âge, est-ce que tu te prends encore pour un bébé ?

Petite Mère est intervenue d'un ton apaisant :

— Ne vous disputez pas, ce n'est vraiment pas le moment.

Puis elle a soupiré :

250 — Nous n'avons pas encore vu le pire. Après l'œil, il paraît que les vents vont redoubler de violence et qu'ils atteindront bien les 300 kilomètres à l'heure.

300 kilomètres à l'heure ! À quelle vitesse se déplace un Boeing[1] volant vers la France ? J'ai murmuré à Daniel qui me faisait pitié 255 avec son air défait[2] :

— Va te reposer. Je vais aider papa.

Il a secoué la tête et n'a pas voulu bouger. Il est comme cela, Daniel ! Têtu.

Je ne sais pas, je ne peux pas dire quand les grands vents se 260 sont levés à nouveau et quand la pluie a recommencé à tomber. Cette seconde partie de la nuit, je l'ai vécue comme un zombi sans trop savoir ce que je faisais. J'étais recroquevillé sur le divan trempé du living-room, je crois, quand il m'a semblé que le monde s'effondrait autour de nous, que la terre s'ouvrait pour nous avaler 265 ou le ciel pour nous aspirer. J'ai entendu Petite Mère crier quelque chose que je n'ai pas compris et je me suis dirigé à l'aveuglette vers l'endroit d'où venait le son. Elle était dans sa chambre, les pieds dans l'eau qui dégoulinait le long de son cou :

— Le mur vient de bouger. Il bouge, j'en suis sûre.

270 Notre maison, je l'ai dit, est en partie faite en bois. Pour satisfaire les désirs de Petite Mère qui rêvait d'une villa coloniale, mon père a modifié les plans des architectes et a voulu que les

---

1. **Boeing :** gros avion fabriqué par le constructeur américain Boeing.
2. **Défait :** affaibli, perdu, abattu.

chambres soient en angélique[1]. C'est aussi lui qui a insisté pour que le toit soit recouvert de feuilles de tôle, la tuile lui paraissant
275 anachronique[2].

Petite Mère disait la vérité. Non seulement les planches de sa chambre laissaient passer l'eau par toutes leurs jointures, mais encore elles semblaient prêtes à céder sous la pression du vent. J'ai eu une idée. Si on poussait l'armoire ? Elle était bien lourde,
280 cette armoire ! Petite Mère et moi, nous n'arrivions à rien quand mon père est entré. Il semblait à bout de forces :

— Je crois qu'une des tôles du toit est à moitié arrachée. Le vent et l'eau entrent dans le galetas comme ils veulent. La plupart des bâches que nous avions mises sur les meubles se sont envolées.
285 Allons tous nous réfugier dans la salle de bains. C'est la pièce la plus sûre puisqu'elle est presque complètement fermée...

Petite Mère a couru prendre dans ses bras Audrey qui dormait encore sur son matelas complètement trempé à présent. L'eau était partout, elle venait de partout. Ce n'était même plus la
290 peine de chercher à l'éponger. Nous avons posé des seaux et des bassines ici et là. Je me demandais si nous finirions par avoir de l'eau jusqu'aux genoux, puis jusqu'à la taille, puis par nous noyer tout à fait comme dans certains films.

La lampe à gaz, qui jusqu'alors éclairait avec un sifflement
295 étrangement rassurant, s'est éteinte. À tâtons, mon père a ouvert un des placards pour chercher une recharge.

Dans le noir, Petite Mère s'est mise à pleurer doucement. Je n'avais jamais vu Petite Mère pleurer. Même à la mort de Bonne Maman qu'elle adorait, ses yeux sont restés secs. Même lorsque
300 Daniel s'est cassé le bras dans la cour de l'école. C'est une personne

---

1. **Angélique** : bois issu d'un arbre que l'on trouve en Guyane.
2. **Anachronique** : déplacée pour l'époque, d'un autre âge.

qui s'efforce toujours d'être d'humeur égale, souriante. Mon père lui a demandé assez sèchement :

— Qu'est-ce qui te prend à présent ?

Mais moi, je l'ai prise dans mes bras et je l'ai couverte de baisers.

305   Mon père a fini par rallumer la lampe. Je ne sais pas s'il est possible de se représenter la triste image que nous offrions, trempés, grelottants dans nos habits mouillés, les traits tirés par la fatigue et l'anxiété. Nous nous sommes dirigés vers la salle de bains. Au-dessus de nos têtes, dans le galetas, la feuille de tôle
310   à moitié arrachée cognait, cognait contre le toit. L'eau piétinait rageusement les marches de l'escalier où nous avions disposé une batterie[1] de bassines. Tous les cinq, nous nous sommes recroquevillés entre la baignoire, le lavabo et le bidet. Mon père a posé la lampe à gaz sur l'armoire à pharmacie. Nous n'avons
315   plus prononcé une parole et appuyés les uns contre les autres, nous avons attendu, attendu que la colère inexplicable de Hugo s'apaise. C'est là que le matin nous a trouvés.

Dans le jour sale, la horde des chevaux sauvages s'est arrêtée de galoper frénétiquement. Les hurlements des grands vents se
320   sont assourdis. Parfois, ils semblaient se perdre dans le lointain. Ce n'était que pour se rapprocher de nous et nous surprendre à nouveau. Puis ils se sont définitivement apaisés. Papa a déplié son grand corps ankylosé[2] et s'est dirigé vers le living-room. Quand il est revenu, il nous a simplement dit :

325   — Je crois que Hugo est parti !

J'ai regardé ma montre. Il était sept heures trente. Je venais de vivre la nuit la plus longue de ma vie.

---

1. **Une batterie de :** tout un ensemble de.
2. **Ankylosé :** engourdi, raidi, courbaturé.

VI

Dimanche

Abasourdis[1], nous nous frayions un chemin tant bien que mal à travers les rues. J'ai dit tant bien que mal, car il était pratiquement impossible d'avancer. Des troncs d'arbres, des branches, des feuilles de tôle, des bouts de planches, des boîtes en carton et
5 des détritus que nous ne pouvions pas distinguer jonchaient les trottoirs et les chaussées. Une chaise était perchée en équilibre sur le haut d'une grille et une berceuse[2] se balançait au beau milieu de la rue dans un lit de boue. Autour de nous s'étendait un paysage de cauchemars, de ruines pareilles, j'imagine, à celles
10 que les soldats américains ont laissées derrière eux après la guerre du Viêt Nam. Grilles tordues et arrachées, toits béants, galeries affaissées ou à moitié emportées, façades effondrées, voici ce qui restait de la pimpante cité dont nous étions si fiers. La plupart des poteaux électriques et des poteaux télégraphiques étaient
15 tombés à terre et les fils s'emmêlaient comme des écheveaux[3] de métal. Les arbres des jardins étaient cassés, décapités et un goyavier[4] brisé à mi-hauteur élevait vers le ciel ses branches dénudées. Car c'était cela le plus extraordinaire : il ne restait plus une feuille, plus un bourgeon aux branches des arbustes, des
20 buissons et des quelques arbres miraculeusement épargnés. On aurait dit qu'un hiver s'était abattu sur eux et les avait ravagés.

---

1. **Abasourdis :** surpris et consternés ; dans un état de choc.
2. **Berceuse :** fauteuil à bascule.
3. **Écheveau :** assemblage de fils repliés et réunis par un fil de liage.
4. **Goyavier :** arbre fruitier tropical, sur lequel poussent les goyaves.

Tous exhibaient des moignons torturés, grisâtres comme ceux
des lépreux. Les feuilles, elles, étaient répandues partout. Sur les
façades des maisons où elles formaient des myriades[1] de taches
25 verdâtres. Sur les trottoirs, dans les rues où elles crissaient sous
nos pieds comme une neige d'une étrange couleur. Sur toute
cette désolation pesait un ciel bas, lourd comme un couvercle
de plomb, gris de pluie et de deuil.

Hébétés, les voisins se tenaient dans ce qui restait des jardins et
30 regardaient ce qui avait été d'élégants pavillons. Ils ne prononçaient
pas un mot, ils ne se regardaient pas, ils ne se saluaient pas, ils
ne se demandaient pas comment s'était passée la nuit comme si
son horreur leur avait ôté l'usage de la parole. Mon père nous
avait envoyés, Daniel et moi, à la recherche d'une tronçonneuse,
35 car le poirier-pays, que le vent avait charroyé[2] dans notre jardin,
occupait une partie de l'allée du garage. Mais nous aussi, nous
partagions ce mutisme[3] et ne demandions rien à personne.

M. Nestor, retraité, qui avait emménagé quelques mois aupara-
vant, était assis, immobile, à même le sol maculé[4] de sa galerie. On
40 ne voyait pas sa femme. Peut-être, comme Petite Mère, s'était-elle
effondrée et dormait-elle dans sa maison à moitié détruite. Petit
Louis, Toussine entre les jambes, s'appuyait contre un palmier
nain sans tête, à côté de son père rigide comme une statue.

Seuls les Félix-Emmanuel semblaient en vie et même en pleine
45 activité. Dans la cité, je l'ai dit, nous n'aimons guère les Félix-
Emmanuel. Mon père assure qu'ils sont prétentieux, Petite Mère
impolis. Ils passent sans regarder ni à droite ni à gauche, entassés
dans leur Nissan 4 × 4. Presque chaque samedi, ils donnent des

---

1. **Myriade :** un très grand nombre.
2. **Charroyé :** transporté, charrié.
3. **Mutisme :** fait de ne pas parler.
4. **Maculé :** sali, taché.

parties et empêchent tout le voisinage de dormir avec le tapage
50 de leur musique, de leurs voix, de leurs rires. Ils ont aussi ajouté
à leur villa un étage, ce qui fait qu'elle domine toutes les autres
maisons. Peut-être que les Félix-Emmanuel ne plaisaient pas non
plus à Hugo, car en rage, il avait jeté à terre le deuxième étage
de leur maison. Du linge, des livres, des meubles, des bibelots
55 s'éparpillaient à travers le jardin et jusque sur les trottoirs et dans
la rue. M. Félix-Emmanuel, poussant une brouette, ramassait
tout cela cependant que ses fils, Laurent, Rafaël et Antoine,
s'efforçaient de déblayer[1] le devant de leur porte des feuilles de
tôle et des débris qui l'encombraient. Dans le jardin, Mme Félix-
60 Emmanuel mettait en tas les branches d'arbres cependant que
Olga et Claude, deux bêcheuses[2] que j'apercevais parfois dans
la cour du collège, donnaient de vigoureux coups de balai aux
feuilles. Il n'était pas jusqu'à Julie, la dernière, une chipie qui, les
samedis, se promène toute raide sur son vélo, qui ne s'efforçât
65 de récupérer les affaires à la dérive un peu partout. Mme Félix-
Emmanuel nous a interpellés gaiement :

— Eh bien, les enfants, vous voyez, on n'en meurt pas !

M. Félix-Emmanuel, lui, nous a grondés et je me suis demandé
de quoi il se mêlait :

70 — Au lieu de vous promener les mains dans les poches, vous
feriez mieux de rester chez vous aider vos parents.

Daniel lui a poliment expliqué qu'en réalité, nous cherchions
une tronçonneuse pour déblayer l'entrée de notre garage dont
aucune voiture ne pouvait sortir et M. Félix-Emmanuel a reposé
75 sa brouette :

---

1. **Déblayer** : nettoyer, débarrasser de ce qui encombre.
2. **Bêcheuses** : personnes jugées prétentieuses, fières, suffisantes.

— Une tronçonneuse, je n'en ai pas. Cela m'étonnerait que quelqu'un en ait une dans le voisinage. Mais peut-être à plusieurs arriverons-nous à aider votre père ?

Là-dessus, il a fait signe à ses trois fils. Mon père est parvenu à
80 cacher sa surprise de nous voir revenir avec les Félix-Emmanuel et leur a serré la main en interrogeant :

— Pas trop de dégâts chez vous ?

M. Félix-Emmanuel s'est esclaffé comme s'il s'agissait d'une bonne plaisanterie :

85 — Pire que chez vous. Une catastrophe ! Nous avons fini la nuit enfermés dans la salle de bains ! Mais l'architecte et l'entrepreneur entendront parler de moi !

Son fils Laurent a haussé les épaules :

— Tu perdras ton temps ! À des vents de 300 kilomètres à
90 l'heure, quel genre de toit peut résister ?

M. Félix-Emmanuel n'a rien voulu entendre et a pris mon père à témoin :

— Les ouvriers d'autrefois savaient bâtir des toits, n'est-ce pas ? Ils n'importaient pas des soi-disant techniques d'Amérique.
95 Pourtant leurs toits tenaient bon. La maison de mon père sur le canal Vatable a résisté au cyclone de 1928...

Je me demandais quand il allait arrêter ces bavardages pour s'occuper de nous !

Le poirier-pays qui s'était abattu dans notre jardin étalait ses
100 lourdes branches sur notre galerie tandis que l'extrémité de son tronc barrait l'allée du garage. M. Félix-Emmanuel a regardé avec commisération le coutelas que mon père tenait à la main ;

— Ce n'est pas avec cela que vous arriverez à grand-chose ! À mon avis, nous allons simplement tirer l'arbre jusqu'au fond du
105 jardin pour dégager l'allée. On ne peut rien de plus.

Nous nous sommes placés de part et d'autre du tronc en nous agrippant aux branches. M. Félix-Emmanuel, comme un commandant de bord, dirigeait la manœuvre. Il criait :

— À mon signal, vous tirez. Ensuite, vous vous arrêtez pour
110 respirer profondément et puis à mon signal, vous tirez à nouveau. Vous êtes prêts ?

Nous avons obéi. L'arbre n'a pas bougé d'un pouce. M. Félix-Emmanuel a alors hélé Petit Louis et son père qui, de la galerie voisine, nous regardaient sans faire un geste :

115 — Venez nous aider, voyons !

Après une hésitation, ils se sont approchés. Nous avons tiré de nouveau et centimètre par centimètre, en soufflant et en ahanant[1], nous sommes parvenus à déplacer le tronc de quelques mètres. M. Félix-Emmanuel qui n'avait rien fait que de donner
120 des ordres s'est rengorgé :

— Pas plus difficile que cela !

Laurent a maugréé[2] en frottant l'une contre l'autre ses mains endolories :

— On voit bien que ce n'était pas toi qui tirais !

125 Parler ainsi à son père ! Pourtant M. Félix-Emmanuel ne s'en est pas offusqué. Il a continué :

— Ce qu'on devrait faire, c'est organiser une sorte de quartier général des opérations et s'y mettre tous. Tous les habitants de la cité. Car individuellement, nous n'arriverons pas. Il faut nettoyer
130 secteur par secteur.

À ce moment, Petite Mère est sortie de la maison. Malgré quelques heures de sommeil, elle semblait toujours aussi épuisée et aussi bouleversée :

---

1. **En ahanant :** en faisant un grand effort physique et en respirant bruyamment.
2. **Maugréé :** ronchonné, rouspété, avec mauvaise humeur.

— Je n'arrive pas à avoir Sylvia et Nelson. Je me demande
135 comment ils ont passé la nuit.

Rafaël l'a regardée d'un air railleur :

— Est-ce que vous avez vu où sont les poteaux télégraphiques ?
Ce n'est pas de sitôt que vous pourrez téléphoner.

Petite Mère a failli à nouveau fondre en larmes et s'est écriée :
140 — Alors, il faut aller au cap Servat voir ce qu'ils sont devenus !

Le père et les fils Félix-Emmanuel ont éclaté d'un même rire.
Vraiment, ils avaient une bien détestable façon de se moquer des
autres ! C'est Antoine, cette fois, qui a ricané :

— Si vous arrivez seulement à sortir de la cité en voiture, c'est
145 que vous êtes une championne.

Petite Mère avait raison en traitant les Félix-Emmanuel de
malpolis.

Cependant, mon père et M. Félix-Emmanuel étaient, quant à
eux, tombés d'accord. Ils avaient décidé de mettre en commun
150 leurs forces, leurs ressources et d'organiser les opérations de
déblaiement et de nettoyage de la cité.

Jusqu'à midi, armés de brouettes, de pelles, de bassines, nous
avons donc ramassé et entassé sur le bord des trottoirs tout ce
qui encombrait les rues. Le soleil ne se décidait pas à reparaître
155 comme s'il avait définitivement fui vers les autres îles de l'archipel
et, de temps en temps, une fine pluie nous trempait. Malgré cela,
je transpirais à grosses gouttes. C'était le travail le plus ingrat[1]
auquel je m'étais livré de ma vie, d'autant plus ingrat qu'il semblait
totalement inutile.

160 Plus on ramassait de détritus, plus il y en avait. Comme, épuisé,
je décidais de rentrer me reposer à la maison, qui ai-je vu surgir,
coiffé d'une casquette à visière bleue, chaussé de hautes bottes

---

1. **Ingrat :** dont on ne tire pas d'avantage, de compensation.

en caoutchouc, un appareil de photo suspendu autour du cou comme un touriste ?

165 — Frédéric ! Frédéric !

Je me suis précipité vers lui :

— Comment as-tu fait pour venir jusqu'ici ?

Il m'a pressé contre lui. Je sentais mes yeux se mouiller de larmes. Puis, nous nous sommes bourré les côtes de coups de
170 poing pour cacher notre émotion et notre joie de nous revoir. J'avais complètement oublié tous les tours que Frédéric m'avait joués et même que deux jours plus tôt, il avait voulu m'enivrer avec de l'alcool mexicain. Tout cela faisait partie d'une ancienne vie, brumeuse et lointaine, car il me semblait que ma vie serait
175 désormais divisée en deux parties. Avant Hugo, après Hugo. Frédéric et moi, nous nous sommes assis par terre sur la galerie. Se penchant vers moi, il m'a soufflé à l'oreille :

— Tu sais où j'ai trouvé cet appareil de photo ?

J'ai regardé l'appareil avec attention. En effet, ce n'était pas
180 celui que sa mère lui avait offert pour ses treize ans. C'était un appareil de marque japonaise, un Nikon qui avait dû coûter une petite fortune. J'ai demandé, flairant là un mystère :

— C'est celui de ton père ?

Il a secoué la tête et pris son air fanfaron :

185 — Cette nuit, je suis sorti pendant l'œil du cyclone. Et crois-moi, je n'étais pas le seul à avoir eu cette idée. La Pointe était pleine de gens qui ne pensaient qu'à profiter de l'occasion. Tu penses ! Avec tous ces magasins aux vitrines défoncées, aux portes arrachées, on n'avait qu'à tendre la main et se servir !
190 Les gens étaient surtout intéressés par les provisions. Par le champagne, le champagne surtout ! On a dévalisé la cave de « Guidicelli ». Moi, je m'en moquais du champagne ! Mais j'ai passé devant *Électronique 2000*. Tu sais, c'est ce magasin de

hi-fi qui est à l'angle de la rue du Marché. Et il y avait ce bijou,
195 au milieu de la vitrine, qui ne demandait qu'à m'obéir. Je me
suis glissé par une brèche et je l'ai pris. Et je n'ai pas oublié non
plus les pellicules. Car à quoi sert un appareil de photo sans
pellicules ?

Confondu, j'ai murmuré :

200 — Mais, c'est du vol, Frédéric ! Du pillage !

Il ne m'a même pas écouté :

— Tu sais ce que j'ai fait depuis ce matin ? Comme Pascal et
Manuéla. Des photos ! J'ai pris des photos. Crois-moi ! Hugo
en a fait de belles, cette nuit ! On n'est pas près de l'oublier ! Il a
205 soufflé sur la mer et l'a rendue folle. Du coup, elle a emmené les
catamarans de Marie-Galante jusqu'en plein mitan de la place
de la Liberté. Il a déchaîné le vent et celui-ci a lancé des voitures
jusqu'au sommet des tours. Il a secoué les mornes et ceux-ci se
sont effondrés avec leurs cases, leurs cages à lapins, leurs pieds
210 bois ! Et moi : clic-clac[1] !

Il a fait un geste expressif :

— J'ai photographié tout. À présent, je vais envoyer ces photos
à de grands journaux de France et même d'Amérique. Moi aussi,
je vais me faire de l'argent.

215 J'étais écœuré. En même temps, j'enviais Frédéric. Pendant
que j'étais là à ramasser des bouts de tôles et de planches et à
les charger dans une brouette, voilà qu'un garçon de mon âge
vivait de dangereuses et exaltantes aventures. Il courait les rues,
l'appareil de photo vissé à hauteur de l'œil, et emmagasinait des
220 souvenirs. Petite Mère m'a appelé et je l'ai rejointe dans la cuisine.
Si elle m'avait regardé comme elle sait le faire, elle aurait lu ce qui

---

1. **Clic-clac :** onomatopée imitant le bruit de l'appareil photo lorsqu'il
prend une photo.

se passait en moi. Mais elle ne s'en souciait pas. Elle avait ouvert tous les tiroirs et s'impatientait :

— Je n'arrive pas à trouver d'allumettes qui ne soient pas trem-
225 pées ! Va demander son briquet à ton père. Dis-lui aussi que j'ai besoin de lui par ici. Il y a tant de choses à faire et lui, il est dans la rue avec ce fou de monsieur Félix-Emmanuel.

Ce n'est pas l'habitude de Petite Mère de critiquer devant nous ce que fait mon père. Quand Daniel trouve qu'il est trop sévère ou
230 qu'il est trop souvent absent de la maison, Petite Mère lui trouve toujours des excuses. J'ai compris que c'était son inquiétude pour sa sœur et mon oncle Nelson qui la rendait nerveuse. Cela m'a donné une idée. Je lui ai offert à la fois pour la consoler, mais aussi, je dois l'avouer, pour m'évader de la cité et connaître les
235 mêmes sensations que Frédéric :

— Si j'essayais d'aller au cap Servat pour toi ? Je pourrais te rapporter des nouvelles ?

Mais elle a poussé de hauts cris. Est-ce que j'étais fou de parler ainsi ? Je ne bougerais pas de la cité. Un bébé, voilà ce
240 que j'étais pour elle. Il fallait pourtant que je lui prouve qu'elle se trompait ! Mais comment ? Je suis retourné lentement sur la galerie. Frédéric avait disparu et je l'ai retrouvé quelques maisons plus loin, chez les Félix-Emmanuel. Il ne poussait pas de brouette, lui. Il ne ramassait pas de bouts de planches ou de
245 tôles. Il discutait avec eux comme s'il les avait toujours connus. Il évaluait les dommages survenus à leur maison. M. Félix-Emmanuel lui disait familièrement :

— Tiens, prends-en une photo avec sa gueule béante. Je l'enver-rai à mon frère qui est à Paris pour qu'il sache bien ce que Hugo
250 nous a fait endurer !

Frédéric obéissait de bonne grâce. Il prenait aussi des photos de Julie, d'Olga, de Claude et même de Mme Félix-Emmanuel qui, un fichu noué autour de la tête et engoncée[1] dans un pantalon mouillé, boueux, se cachait la figure en riant avec coquetterie :

255 — Ah non, pas aujourd'hui ! Je suis trop affreuse !

Agacé, j'ai tiré Frédéric par la manche en murmurant :

— Allons-nous-en d'ici. J'en ai assez.

Il m'a regardé avec stupeur.

La pluie inlassable avait recommencé de tomber et détrem-
260 pait ce qui n'était pas encore trempé. Le vent faisait voltiger les derniers détritus. De rares voitures circulaient précautionneusement, tous phares allumés, et les hommes, les femmes, les enfants commençaient de sortir de ce qui restait des maisons. Et toujours ce qui me frappait, c'était leur mutisme, leur démarche,
265 leur air absent comme s'ils ne cessaient de se remémorer[2] le cauchemar qu'ils venaient de vivre... Frédéric, pareil à un véritable professionnel, photographiait tout. Les chiens et les cabris crevés[3], les pattes en l'air dans les dalots, et les véhicules de toutes sortes renversés les roues en l'air. Moi, j'aurais aimé
270 m'asseoir là et pleurer toutes les larmes de mon corps. Seules la honte et la peur des railleries[4] de Frédéric me retenaient. Autant que les souffrances des hommes, les souffrances de la nature me blessaient. Qu'avaient-ils ressenti, ces cocotiers, quand le monstre sans pitié leur avait arraché leurs frères et hautes
275 palmes ? Ces manguiers, ces arbres à pain, ces châtaigniers, ces filaos[5], ces tamariniers[6], quand il avait rompu férocement leurs troncs ? Près du pont de la Gabarre, la mangrove, fouillis

---

1. **Engoncée :** serrée.
2. **Se remémorer :** se souvenir.
3. **Crevés :** morts.
4. **Railleries :** moqueries.
5. **Filao :** arbre d'origine tropicale, au bois très dur.
6. **Tamarinier :** arbre des régions tropicales, portant des fruits acides appelés « tamarins ».

nourricier qu'affectionnaient les oiseaux, n'était plus qu'une forêt anguleuse[1] de bouts de bois.

280   Soudain, une file de camions ayant à leur bord des militaires en treillis[2] a débouché du pont. Les premiers secours arrivaient pour déblayer les routes.

    Frédéric ne s'est pas gêné pour jouer au photographe. Il a mitraillé[3] soldats et camions sur toutes les coutures. Comme je
285 l'attendais sur le bord de la route, une Jeep Cherokee s'est arrêtée à ma hauteur. C'étaient Pascal et Manuéla. Alors là ! Frédéric faisait piètre figure[4] à côté d'eux. Ils avaient chacun trois appareils de photo suspendus autour du cou et tenaient sur leurs genoux des sacoches pleines de lentilles, de filtres et de téléobjectifs. Ils
290 avaient l'air ravis :

    — Il a dépassé nos espérances. Il a été encore plus beau que nous l'espérions. Il paraît que c'est le plus beau que la région ait connu depuis longtemps.

    Malgré ce qu'ils m'avaient expliqué de leur métier lors de
295 notre dernière rencontre, je ne pouvais pas apprécier leur façon de considérer les choses et de parler. Elle me paraissait légère, irresponsable, choquante. Non, Hugo qui avait semé le malheur n'était pas beau. Terrible, monstrueux, voilà ce qu'il était. Au risque de paraître une fois de plus boudeur, je me suis assis à l'arrière
300 sans rien dire. D'ailleurs, Frédéric comme d'habitude parlait pour nous deux. Il racontait ses aventures de la nuit. Si Pascal riait aux larmes, Manuéla faisait une moue sévère :

---

1. **Anguleuse :** avec des angles.
2. **Treillis :** tenue portée par les militaires sur le terrain, avec des imprimés facilitant le camouflage.
3. **Mitrailler :** en langage familier, prendre de très nombreuses photos à la suite.
4. **Faisait piètre figure :** semblait beaucoup moins impressionnant, était plus insignifiant.

— Ce n'est pas bien, tu sais. Et tu ne devrais pas t'en vanter. Que dirait ton père s'il savait cela ! Et c'est un avocat par-dessus
305 le marché ! Tu crois qu'il serait fier d'avoir un fils voleur !

Puis elle s'est tournée vers moi :

— Et toi, Michel ?

J'ai refusé de lui répondre et, évitant son regard, j'ai fait un geste vague.

310 Il me sera difficile de décrire l'après-midi que nous avons passé, car j'en ai un peu honte. Nous nous sommes arrêtés devant des cases éventrées dont il ne restait parfois rien. Qu'une ou deux cloisons, pathétiquement décorées d'une image de la Sainte Vierge Marie ou d'une réclame de Coca-Cola. Devant des
315 gens en pleurs. Des gens trop malheureux, trop abattus pour nous repousser. À chaque fois, Pascal et Manuéla, après avoir débité un petit boniment[1], quelques mots de fausse compassion, braquaient leurs objectifs. Qu'ils me semblaient fatigants ! Ils n'étaient jamais rassasiés de prendre cliché sur cliché et répé-
320 taient inlassablement :

— Encore une ! Encore une ! Une dernière !

Il devait être quatre heures quand enfin ils se sont arrêtés. Nous avions parcouru la Pointe en long et en large, couru des quais au morne Saint-Joseph, du quartier Gachette au quartier industriel
325 de Jarry, de la place de la Liberté à l'hôpital. Frédéric m'a adressé un clin d'œil et leur a demandé à sa façon câline :

— Est-ce que vous pourriez nous emmener au cap Servat ?

Ils nous ont paru surpris et se sont exclamés :

— Au cap Servat ! Qu'est-ce que vous allez chercher dans ce
330 coin-là ?

---

1. **Boniment :** propos destiné à convaincre ou à séduire.

Frédéric leur a alors expliqué que mon oncle et ma tante y habitaient et que je me faisais beaucoup de souci pour eux. Manuéla
m'a attiré contre elle :

— Voyons, petit bonhomme ! C'est donc pour cela que tu as
335 l'air si triste ! Pourquoi ne l'as-tu pas dit plus tôt ?

VII

Mercredi

Daniel a ouvert la porte de notre chambre et m'a tendu l'assiette de mon déjeuner. Des sardines, des petits pois et deux biscottes. Pas bien appétissant, ce repas ! Mais, comme dans notre cité l'électricité n'était toujours pas revenue, nous ne mangions que des
5 conserves que Petite Mère réchauffait et servait en se plaignant de l'ingratitude de Gitane qui depuis Hugo n'avait plus donné signe de vie. Chaque fois que Daniel me racontait cela, mon cœur se serrait. Pauvre Gitane ! Qui savait ce qu'elle était devenue avec Greg, le gros Georges, Patience et Gloria ? Est-ce que je n'aurais
10 pas dû aller à l'école Saint-Félix le jour où j'étais à la Pointe ? Je n'avais songé qu'à la sœur de Petite Mère. Gitane avait tort : je n'avais pas bon cœur. Moi aussi, moi comme les autres, j'étais un égoïste. Daniel s'est assis sur son lit et a grommelé :

— Si tu savais comme je suis fatigué et pour rien encore. J'ai
15 passé la matinée à mettre les déchets en tas pour les brûler, tout cela pour voir les pompiers arriver avec des bennes et tout enlever en un rien de temps. Il paraît qu'il y a des centaines de pompiers qui sont arrivés de France. Ils tronçonnent les arbres, enlèvent les branches, les tôles et nettoient tout. À présent, on attend des
20 techniciens pour réparer le réseau électrique et le téléphone. Évidemment, papa et M. Félix-Emmanuel trouvent que ce n'est pas bien et qu'ils auraient dû laisser les gens de la Guadeloupe se débrouiller eux-mêmes.

Haussant les épaules, il a ajouté :

25 — Ils se sont bien rencontrés, ces deux-là ! Si tu savais comme ils s'entendent. Quand papa dit : « Coupez », M. Félix-Emmanuel dit : « Hachez ».

En silence, j'ai mangé mes sardines et mes petits pois, car j'avais grand-faim[1]. Daniel s'est allongé paresseusement sur le lit :

30 — Je trouve que Petite Mère et papa ont été réellement injustes avec toi. C'est grâce à toi qu'oncle Nelson a pu être emmené à l'hôpital et que tante Sylvia a pu quitter sa maison complètement foutue du cap Servat pour venir ici avec Luc et Frantz. On aurait plutôt dû te remercier au lieu de t'enfermer dans ta chambre !

35 Je pensais exactement la même chose. Néanmoins, j'avais le cœur trop endolori[2] pour discuter de tout cela, même avec Daniel. Je n'ai jamais eu l'habitude de critiquer les décisions de mes parents. Je pense toujours qu'ils ont de l'expérience et plus de jugement que nous, les enfants. Même quand mon

40 père a obligé Daniel à ramener le chiot à la Société protectrice des animaux, je me suis dit qu'il avait sans doute de bonnes raisons d'agir ainsi. Pourtant, cette fois, je ne pouvais pas leur pardonner de me consigner[3] dans ma chambre depuis le dimanche. Un sentiment rarement éprouvé avec cette violence

45 et la révolte m'emplissait. Daniel, sans se laisser décourager par mon mutisme, a continué :

— En vérité, tu es peut-être le plus heureux de tous. Tranquille dans ta chambre. Au lieu de recevoir des ordres, de passer le temps à faire des choses désagréables et sales alors que Frantz

50 et Luc ne lèvent pas le petit doigt. Il paraît qu'eux, ils sont traumatisés.

---

1. **Avoir grand-faim :** avoir très faim.
2. **Endolori :** douloureux.
3. **Consigner :** enfermer, par punition.

À la fin, la colère de Daniel m'amusait. Pourtant, je n'avais pas le cœur à rire. Je me rappelais la joie de ma tante Sylvia à me voir arriver au Servat ce dimanche après-midi là avec
55 Manuéla, Pascal et Frédéric. Elle nous avait accueillis comme des sauveurs. Prisonnière dans les décombres de sa maison, elle ne savait ni comment en sortir pour chercher de l'aide, ni comment faire parvenir de ses nouvelles à Petite Mère. Étendu sur un tas de couvertures trempées dans un coin de la cuisine,
60 oncle Nelson souffrait le martyre, la jambe enflée jusqu'à la hauteur du genou.

Tante Sylvia avait vécu une nuit effroyable. Rien n'arrêtait le vent sur ce promontoire isolé. Aussi Hugo s'en était-il donné à cœur joie. Il avait arraché la galerie de la maison et l'avait pré-
65 cipitée dans la mer au pied de la falaise. En s'envolant, la galerie avait emporté une partie du toit qui, à son tour, avait emporté avec lui les cloisons. Comme un fou, Hugo avait répandu des tôles et des planches à des kilomètres à la ronde et il n'était plus guère resté debout que la cuisine construite en ciment. Toute
70 seule, tante Sylvia avait dû y transporter oncle Nelson et avait passé le reste de la nuit à calmer les frayeurs de Luc et Frantz. Vraiment, pour elle, nous avions mis fin à un épouvantable cauchemar ! Elle nous avait couverts de baisers, Frédéric et moi, et n'avait pas eu assez de mots pour remercier Manuéla et Pascal.
75 Je me suis levé et me suis approché de la fenêtre. Mais je ne voyais rien de ce qui se passait au-dehors. Mon sang bouillait dans mes veines en me rappelant comment, par contraste, nous avions été reçus à notre arrivée à la cité. Mon père m'avait prédit un avenir de délinquant. Petite Mère ne savait répéter qu'une
80 chose : elle m'avait interdit de sortir et j'avais désobéi. Et depuis lors, j'étais prisonnier. On ne doit jamais priver les gens de leur

liberté. Cela les rend pareils à des bêtes. Cela met en leur esprit les idées les plus folles.

Et si je m'enfuyais de la maison ? Et si je prenais refuge chez
85 Frédéric ? Je pourrais vivre dans le galetas de sa maison à l'insu de son père, de Nathalie et d'Huberte.

À ce moment, quelqu'un a poussé la porte : c'était Audrey. Elle m'a dit d'un ton mystérieux :

— Tiens, je t'ai porté un dessert.

90 Elle m'a tendu une tranche de cake aux fruits, puis elle s'est assise sur le lit de Daniel et nous nous sommes regardés, tous les trois. Pendant des jours et des jours, nous n'avions pensé qu'à Hugo. Nous l'avions attendu. Nous avions douté de sa venue. Il nous avait pris par surprise. Il nous avait malmenés sans que nous
95 puissions rien faire pour nous défendre. Et, à présent qu'il était parti, nous avions le sentiment d'un grand vide. Nous ne savions plus que faire de nous-mêmes comme si nos vies n'avaient plus de signification.

Audrey a soupiré :

100 — Quand je pense qu'il n'y aura pas d'école avant des mois ! Qu'est-ce qu'on va faire ? C'est bien la première fois que je regrette l'école !

Petite Mère est de si mauvaise humeur que personne n'ose lui parler. Luc et Frantz passent leur temps à pleurnicher et tante
105 Sylvia à les consoler. Quant à papa !

Je l'avais bien deviné qu'il faudrait diviser notre vie en deux parties. Avant Hugo, nous étions des enfants heureux, des enfants sans problèmes. Après Hugo, nous n'avions même plus d'école. Daniel a suggéré :

110 — Si nous écoutions les informations ? La radio, c'est tout ce qui reste. Plus de télé, plus de vidéo, plus de Coca-Cola glacé, plus même d'eau fraîche !

Nous avons allumé la radio et comme à chaque heure du jour, la litanie des messages personnels et des communiqués, que nous n'écoutions même plus, a commencé. Des familles cherchaient toujours à se retrouver. Telle commune avait besoin d'eau, de lait pour les nourrissons, de vêtements et de bâches. Telle autre, d'eau toujours, de bougies, de boîtes de conserve. Des particuliers avaient besoin de groupes électrogènes[1]. Des associations réclamaient des dons en nature[2] ou en espèces[3]. Les partis politiques s'en mêlaient et y allaient de leurs petits discours sur la solidarité et l'effort.

Brusquement, mon père a ouvert la porte et sans me regarder, puisque depuis dimanche il fait semblant de m'ignorer, il a hurlé à l'adresse de Daniel :

— Qu'est-ce que tu attends pour venir travailler ? Ce n'est pas avec des garçons comme toi que le pays se relèvera.

Daniel est sorti furieux, mais sans rien dire, et Audrey a eu une moue significative :

— Papa a bien changé depuis Hugo !

Tous, nous avions changé depuis Hugo. C'est alors qu'à la radio, une voix s'est élevée. Je l'aurais reconnue entre mille, cette voix. C'était celle que j'avais entendue la nuit de Hugo. Une voix fraternelle. Une voix chaleureuse. La voix d'un ami. Elle parlait cette fois d'un service d'entraide qui s'organisait. On demandait des volontaires pour aller porter des provisions aux sans-abri entassés dans les écoles de la Pointe et qui manquaient de tout. Et il me semblait que cette voix s'adressait à moi et à moi seul,

---

1. **Groupe électrogène :** dispositif comportant un moteur, qui permet de produire de l'électricité de manière autonome ; il peut donc être utilisé lorsque les lignes électriques sont coupées.
2. **Dons en nature :** dons de produits ou de services, sans échange d'argent.
3. **En espèces :** en argent.

qu'elle me faisait honte de mon égoïsme et de mon inaction. J'étais
140 là à me morfondre[1], à récriminer[2] contre mes parents tandis
qu'autour de moi des gens étaient au désespoir. J'ai de nouveau
songé à Gitane et je crois que c'est cette pensée qui m'a décidé.
Tant pis pour ce qui m'arriverait !

En un clin d'œil, ma décision a été prise.

---

1. **Me morfondre :** m'ennuyer pendant une trop longue attente, me
tourmenter.
2. **Récriminer :** se plaindre, exprimer son mécontentement.

Jeudi soir

Le père de Frédéric était aussi gai que lui, aussi bavard. Assis au bout de la table, il racontait l'histoire de cet ivrogne qui, s'étant couché soûl le samedi soir, s'était réveillé le dimanche matin tout étonné, en demandant à ses voisins :

5 — Ola Igo ?[1]

Il buvait du vin blanc et, chose extraordinaire, il nous en avait versé un doigt[2], à Nathalie, à Frédéric et à moi. Dans cette partie de la Pointe, l'eau et le courant avaient été rétablis immédiatement. Aussi, merveille des merveilles, Huberte, toujours aussi

10 renfrognée, nous a servi au dessert une glace au maracudja[3]. Seules quelques traces d'humidité sur les murs rappelaient ce qui s'était passé les jours précédents. Le père de Frédéric s'est versé un nouveau verre de vin blanc :

— Je me demande comment il se fait que vous soyez amis. On ne

15 peut pas imaginer deux garçons aussi différents que vous. Frédéric est un vaurien tandis que toi, tu m'as l'air d'un garçon très bien.

Frédéric a protesté vivement :

— Tu sais, il ne faut pas juger les gens sur la mine[4]. Il fait lui aussi beaucoup de bêtises. Voilà deux jours que ses parents ne

20 savent même pas où il est.

Le père de Frédéric a paru surpris :

— Comment cela ?

Toujours le même, ce Frédéric ! Incorrigible bavard ! Incapable de garder un secret.

---

1. Phrase en créole : « Où est Hugo ? »
2. **Un doigt :** une petite quantité.
3. **Maracudja :** autre nom du fruit de la Passion.
4. **Sur la mine :** sur leur apparence, leur aspect extérieur.

25   Je m'étais réfugié chez lui en revenant de l'opération de secours
annoncée à la radio et il m'avait accueilli avec joie. Bien sûr que
je pouvais passer cette nuit dans sa maison et autant de nuits
que je voudrais. Quant à me cacher dans le galetas, ce n'était
pas nécessaire, car son père ne verrait aucun inconvénient à ma
30   présence. D'ailleurs, il n'était jamais là. Même le soir de Hugo,
il n'était pas rentré avant dix heures et tous les vents soufflaient
déjà en tempête.

En effet, le premier soir, nous ne l'avions pas vu. Servis par
Huberte, nous avions dîné avec Nathalie, le nez toujours plongé
35   dans ses romans-photos et qui ne nous adressait pas une seule
parole. Après le repas, pour la centième fois peut-être, nous avons
regardé *La Guerre des étoiles* que Frédéric et moi, nous adorons
tous les deux, et éveillés jusqu'à minuit, dans sa chambre, nous
avons échafaudé des plans. Le lendemain, Frédéric m'accompa-
40   gnerait à la mairie afin de distribuer des vivres dans une autre
école. Je n'aurais de cesse[1], quant à moi, que je ne retrouve Gitane
que j'avais vainement cherchée parmi les malheureux de l'école
Saint-Félix. Que s'était-il passé ? L'avait-on dirigée vers un autre
centre d'hébergement ? À vrai dire, Frédéric ne s'intéressait ni à
45   Gitane ni aux sans-logis. Il n'avait qu'un souci, faire des photos. Il
prétendait que ses photos précédentes, celles des ravages de Hugo,
il les avait vendues à un journaliste américain qui était arrivé exprès
de New York. Fallait-il le croire ? En tout cas, il exhibait deux billets
de 500 francs que ce journaliste lui aurait donnés en paiement.

50   La journée du jeudi s'était passée sans incidents, mais je n'avais
retrouvé Gitane ni au Carmel ni à Petite-Croix où nous avions
porté des caisses d'eau, de lait et des vêtements. Peut-être avait-elle
changé d'avis et en dernière minute, n'avait-elle pas eu le cœur

---

1. **Je n'aurais de cesse :** je ne m'arrêterais pas avant.

de quitter sa case ? Je m'étais promis de retourner le lendemain
55 au quartier Gachette pour en avoir le cœur net.

Le père de Frédéric m'a regardé sans sévérité, au contraire,
avec beaucoup de bonté, et m'a interrogé :

— Comme cela, tu as fugué ?

Je n'ai pas répondu et il m'a pris la main à travers la table :

60 — Tu ne veux pas me raconter ?

Comme il me disait cela d'une voix amicale et très douce,
quelque chose s'est brisé dans ma poitrine et des larmes que je n'ai
pas pu retenir se sont mises à couler sur mes joues. Je n'aurais pas
pu expliquer clairement pourquoi je pleurais. Peut-être à cause
65 de la punition, injuste à mes yeux, que mes parents m'avaient
infligée. Peut-être à cause de Hugo et des bouleversements qu'il
avait apportés. À cause de lui, un certain garçon était mort en moi.
Un garçon qui ne remettait jamais rien en question, un garçon
timide, respectueux, aveuglément obéissant. Il me semblait que
70 cette nuit-là marquait la fin de ma vie d'enfant et que, pareil à
cet ivrogne qui s'était réveillé dessoûlé le dimanche, ce même
matin-là, je m'étais réveillé adulte.

Nathalie me regardait avec commisération, sans mépris toutefois, et Frédéric semblait sur le point de pleurer lui aussi. Son
75 père m'a dit sur ce même ton compréhensif :

— Tu sais, moi aussi à ton âge, j'ai fait une fugue.

Frédéric s'est exclamé :

— Tu ne nous l'avais jamais dit !

Son père a allumé une cigarette :

80 — Mes parents étaient des bourgeois. Mon père se prenait
très au sérieux parce qu'il était avocat et ma mère parce que nous
avions une si belle maison. Mon frère et ma sœur étaient coulés
dans le même moule[1] ; mais moi, cela m'a toujours exaspéré de les

---

1. **Coulés dans le même moule :** du même genre, se ressemblant beaucoup.

voir se donner des airs. J'étais insolent, vagabond, toujours puni.
85 Le jour de mes treize ans, j'en ai eu assez. J'ai mis un pied devant
l'autre et je suis parti sans trop savoir où j'allais. Le soir venu, je
me suis couché sur un banc de la place de la Liberté. C'est là que
la police m'a ramassé et m'a ramené chez moi.

Nathalie, qui pour une fois semblait intéressée, a demandé :

90 — Qu'est-ce que tes parents ont dit ? Je parie qu'ils étaient
furieux !

Son père a secoué la tête :

— Pas du tout. Ils s'étaient fait tellement de soucis pendant
mon absence qu'ils avaient seulement été fous de joie de me
95 retrouver sain et sauf.

Nous nous sommes tous levés de table et sommes passés au salon,
Frédéric prenant place dans son fauteuil préféré. Son père a proposé :

— Qu'est-ce que vous diriez d'un bridge[1] ?

Comme je ne savais pas jouer, je les ai regardés faire leur par-
100 tie, Frédéric ne cessant de tricher aux dires de Nathalie et de se
disputer avec elle pendant que leur père les calmait en riant.

Les yeux fermés, je pensais à notre maison, à Daniel, à Audrey,
à Petite Mère surtout et je me demandais avec désespoir si je
les reverrais un jour. Après la partie, nous avons bu du thé de
105 citronnelle et le père de Frédéric nous a encore raconté des histoires. Des histoires de ses clients. Des histoires du tribunal, il
était intarissable[2].

Et puis, vers dix heures, il s'est levé, s'est tourné vers moi et
m'a dit simplement :

110 — Viens, Michel, je vais te ramener auprès de tes parents.

---

1. Le bridge est un jeu de cartes.
2. **Il était intarissable :** il n'arrêtait pas de parler.

Épilogue

Samedi

Notre maison retentit du bruit des coups de marteau des ouvriers juchés sur le toit. Mon père est parti à la banque où il y a encore beaucoup à faire pour remettre en état le matériel d'informatique. Petite Mère est partie à son salon où il y a eu
5 énormément de dégâts. Non seulement les vitrines ont volé en éclats, mais les pilleurs[1] en ont profité pour faire main basse sur[2] les shampooings, les laques, les huiles essentielles et les produits de beauté de toutes sortes.

Hier, mon oncle Nelson a quitté l'hôpital. Sa cheville brisée
10 est plâtrée pour six semaines et il s'appuie sur une canne. Malgré cela, il a voulu à tout prix repartir au cap Servat et il a entraîné tante Sylvia, Frantz et Luc.

Audrey, Daniel et moi, nous sommes donc seuls à la maison et nous attendons Laurent Félix-Emmanuel qui, chaque matin,
15 vient nous faire travailler en attendant la réouverture de l'école. Petite Mère et mon père sont devenus les grands amis des Félix-Emmanuel. Hier, Gitane aussi est venue nous voir, le gros Georges entre les bras, Patience et Gloria à la queue leu leu derrière elle. Sa maison du quartier Gachette est complètement

---

1. **Pilleurs :** voleurs.
2. **Faire main basse sur :** voler.

20 détruite. Elle habite sous une tente près de l'aéroport. Elle ne pourra pas revenir chez nous tant qu'il n'y aura pas d'école pour Patience et Gloria. Petite Mère a inutilement discuté avec elle, puis l'a payée. Quant à moi, je l'ai longuement embrassée pour lui dire au revoir.

25   Il y a exactement quinze jours, Hugo était avec nous.

POUR
APPROFONDIR

Clés de lecture

Séquence 1
Chapitre I (pp. 19-32)

Action et personnages

1. Où Petite Mère a-t-elle étudié ? Quel est son métier ? Michel aime-t-il lui rendre visite sur son lieu de travail ?

2. Quelles sont les particularités de la maison de Michel ?

3. Qui sont les membres de la famille ? Faites-en la liste, en précisant leurs liens de parenté.

Genre ou thèmes

4. Comment l'ouragan est-il nommé ? Qu'en pense Michel ?

5. Quelles relations Michel a-t-il avec son père ? Comme le décrit-il ?

6. Comment les personnages réagissent-ils à l'annonce de l'ouragan ?

Langue

7. Quelles sont les trois langues employées dans ce chapitre ? Qui les utilise et pourquoi ?

8. Dans le paragraphe allant de « Le moindre soupir » (l. 160) à « un signe » (l. 169), relevez les adjectifs montrant que la situation n'est pas encore inquiétante.

Écriture

9. Comme Michel, vous gardez le souvenir de vacances passées chez l'un de vos proches. Faites le portrait de la personne qui vous accueillait.

10. La nuit, Michel rêve de chevaux blancs galopant sur la plage. Imaginez la suite de son rêve.

 À retenir

Le début du roman permet de poser les bases de l'histoire à venir, en révélant au lecteur le genre du texte, les personnages principaux, le cadre spatio-temporel, les premiers fils de l'intrigue…

Séquence 2
Chapitres II et III (pp. 33-60)

Action et personnages

1. Qui est Frédéric ?

2. Qui sont Pascal et Manuéla ? Comment Michel les rencontre-t-il ? Que font-ils en Guadeloupe ?

3. Quel événement Frédéric annonce-t-il à Michel (chap. II) ? Que compte-t-il faire ? Qu'en pense Michel ?

Genre ou thèmes

4. Lorsque Michel retourne à la Pointe (chap. II), à quoi voit-on que l'ouragan approche ?

5. Pourquoi Frédéric interrompt-il son professeur d'histoire ? Comment réagit celui-ci ?

6. Qu'entend Michel lorsque l'ouragan se manifeste pour la première fois (chap. III) ?

Langue

7. Quel type de phrase Michel utilise-t-il pour imaginer les conséquences de l'ouragan (p. 40) ?

8. Michel emploie une phrase exclamative pour parler de ses cousins (p. 56). Quel sens lui donnez-vous ?

Écriture

9. Que pensez-vous de la manière dont Pascal et Manuéla présentent leur travail ? Sont-ils des « voyeurs » ou ont-ils un rôle à jouer ? Argumentez votre réponse.

10. Réécrivez, selon le point de vue de Daniel, le moment où Michel lui fait écouter les premiers grondements de l'ouragan.

 # À retenir

Plusieurs types de phrases existent : déclarative, pour rapporter un fait ou une idée ; interrogative, pour poser une question ; exclamative, pour exprimer un sentiment ; injonctive, pour ordonner ou suggérer.

Clés de lecture

Séquence 3
Chapitre IV (pp. 61-73)

Action et personnages

1. Que fait régulièrement Michel le samedi matin ?

2. Où vivait et que faisait le grand-père de Michel ?

3. Qui est Greg et pourquoi Gitane s'inquiète-t-elle pour lui ?

Genre ou thèmes

4. Qui est Gitane ? De quoi se plaint-elle, dans la cuisine ?

5. Que découvre Michel en accompagnant Gitane chez elle ? En quoi est-ce différent de son propre quotidien ?

6. Où Gitane va-t-elle attendre l'ouragan ? Pourquoi ?

7. Quels sont les niveaux d'alerte évoqués au cours du chapitre ?

Langue

8. Réécrivez le monologue de Gitane (l. 112 à 116) au discours indirect, à la troisième personne du singulier et au passé.

9. Dans le paragraphe allant de « Les rues » (l. 179) à « tristes intérieurs » (l. 187), relevez les adjectifs et classez-les en deux catégories selon qu'ils sont valorisants ou dévalorisants.

10. Puis réécrivez la description en lui enlevant son aspect péjoratif, notamment en remplaçant les adjectifs par leurs antonymes (contraires).

Écriture

11. Décrivez votre repas préféré, en précisant les circonstances dans lesquelles vous l'avez mangé.

12. Imaginez un lieu et utilisez des adjectifs qualificatifs pour le décrire.

 ## À retenir

Associé à un nom, un adjectif qualificatif permet de caractériser, de donner plus d'informations et de précisions sur la personne, l'objet ou la chose que désigne le nom.

Clés de lecture

Séquence 4
Chapitre V (pp. 74-85)

Action et personnages

1. Comment la journée du samedi se termine-t-elle ? Quand Hugo se manifeste-t-il ?
2. Quelles relations Michel a-t-il avec sa petite sœur ? Évoluent-elles au cours de ce chapitre ?
3. Quel moyen Michel trouve-t-il pour passer le temps et oublier Hugo ?

Genre ou thèmes

4. Cherchez, à l'aide de la note page 78, qui est Pénélope (l. 110) et expliquez pourquoi Michel la mentionne.
5. Quels rôles joue la radio, dans ce chapitre ?
6. Quel effet l'œil du cyclone a-t-il ?
7. Où et comment les personnages terminent-ils la nuit ?

Langue

8. Relevez, dans le premier paragraphe, le champ lexical de l'animalité.
9. Dans le passage allant de « Nous avions dîné » (l. 57) à « toute vitesse » (l. 151), relevez les termes exprimant la peur ressentie par les personnages.

Écriture

10. Racontez l'arrivée de l'ouragan selon le point de vue d'Audrey.
11. Pendant l'ouragan, Michel a l'impression qu'ils sont « seuls au monde ». Imaginez une histoire où des personnages seraient seuls au monde. Précisez-en les circonstances et la manière dont ils agissent et réagissent.

Pour approfondir

 ## À retenir

Le vocabulaire des sentiments permet, en utilisant des termes variés et appropriés, de décrire, préciser et nuancer toutes sortes de sentiments et d'émotions : amitié, affection, amour, joie, tristesse, peur, doute, colère, honte…

Clés de lecture

Séquence 5
Chapitre VI (pp. 86-98)

Action et personnages

1. Qui sont les Félix-Emmanuel ? Que pensent d'eux les parents de Michel ?

2. Petite Mère réussit-elle à avoir des nouvelles de sa sœur au début du chapitre ? Pourquoi ?

3. Où Frédéric veut-il aller, à la fin du chapitre ? Pourquoi ?

Genre ou thèmes

4. Quel objet possède Frédéric lorsqu'il retrouve Michel ? Où l'a-t-il trouvé ? Que veut-il faire avec ? Qu'en pense Michel ?

5. Qu'éprouve Michel quand il retrouve Frédéric (pp. 95-96) ? À quoi pense-t-il ?

6. Comment Michel et Frédéric se rendent-ils à la Pointe ? Qu'y voient-ils ?

Langue

7. Qu'ont de particulier la phrase allant de « Des troncs » à « les chaussées » (l. 3 à 6) et celle allant de « Grilles » à « si fiers » (l. 11 à 13) ? Quelle impression s'en dégage ?

8. Relevez dans le premier paragraphe le champ lexical de la destruction.

9. Trouvez, dans le début du chapitre, deux synonymes de « stupéfié ».

Écriture

10. Imaginez une histoire en utilisant une partie des termes relevés à la question 8.

11. Frédéric vend une photo à un magazine. Imaginez ce qu'elle représente et rédigez le texte qui pourrait l'accompagner.

 ## À retenir

Une énumération est une liste composée de différents éléments séparés par des virgules. Souvent utilisée dans les descriptions, elle permet de donner une impression d'accumulation, de quantité, de grandeur.

Séquence 6
Du chapitre VII à la fin (pp. 99-110)

Action et personnages

1. Que mange Michel le mercredi ? Pourquoi ?

2. Pourquoi Michel est-il puni ? Qu'a-t-il fait ? La décision lui semble-t-elle juste ?

3. Quels éléments positifs Michel trouve-t-il chez Frédéric, le jeudi soir ?

Genre ou thèmes

4. La maison de Sylvia et de Nelson a-t-elle bien résisté ? Qu'ont-ils fait pendant le passage de Hugo ?

5. Qu'entend Michel à la radio, le mercredi ? Que décide-t-il de faire ?

6. Quels changements l'ouragan a-t-il provoqués en Michel ?

Langue

7. Dans le passage allant de « Le lendemain » (p. 106, l. 39) à « faire des photos » (l. 45), relevez les verbes et indiquez à quel temps ils sont conjugués.

8. Réécrivez le passage allant de « À cause de lui » (p. 107, l. 67) à « réveillé adulte » (l. 72), en féminisant les noms masculins et en conjuguant les verbes au futur.

Écriture

9. Imaginez le dialogue entre l'homme qui se réveille en demandant « Ola Igo ? » et ses voisins.

10. Choisissez un personnage mentionné durant la journée de samedi, et imaginez son histoire, un an après Hugo.

 # À retenir

La dernière partie du roman (« Samedi ») joue le rôle d'un épilogue : elle permet de découvrir quelques aspects de la vie des personnages après la fin de leur trajet romanesque, en apportant une conclusion à leur histoire.

Genre, action, personnages
Forme et genre

Le temps du roman

Hugo le Terrible se déroule sur une durée limitée : quinze jours s'écoulent entre le début et la fin de l'histoire. Le texte est découpé en journées qui suivent, chronologiquement, les étapes du passage de l'ouragan. Le temps, aux deux sens du terme (le temps qui passe et le temps qu'il fait), est au cœur du roman.

Celui-ci s'ouvre le jeudi, sur une attente : le nom de Hugo est sur toutes les lèvres, mais il semble encore lointain, incertain. Les bulletins météorologiques et les alertes rythment le texte, montrant l'avancée de l'ouragan et le danger qui se rapproche.

Le samedi soir, Hugo devient une réalité. Le beau temps laisse place à des vents d'une extrême violence et à une pluie torrentielle. La tension retombe ensuite, tandis que les personnages gèrent l'après-ouragan, constatent les destructions et entament le lent processus de reconstruction. Le roman s'achève un samedi, sur un épilogue qui montre la situation des personnages deux semaines après Hugo.

L'ouragan, de la réalité à la fiction

Le livre est dédié à Raky, petite-fille de la romancière. Maryse Condé raconte l'avoir écrit pour elle qui, étudiant en France métropolitaine, n'avait pas pu voir le cyclone. L'histoire évoque, de manière réaliste, le passage de Hugo et les destructions qu'il cause. Michel, narrateur et personnage principal, vit son premier ouragan et partage directement ses émotions avec le lecteur, à travers son récit à la première personne.

Les perturbations atmosphériques – de la dépression tropicale aux ouragans – ne sont pas rares dans les tropiques. Gitane a ainsi rejoint la Guadeloupe à cause d'un ouragan qui l'a laissée « sans rien » (chap. I), l'ouragan David qui, en 1979, a durement touché l'île de la Dominique. Gilbert a « ravagé la Jamaïque » (chap. I) l'année précédente, tandis qu'Inès soufflait sur la Guadeloupe quand Petite Mère étudiait à Bordeaux (chap. I).

Genre, action, personnages

Hugo, dont parle le roman, a réellement frappé la Guadeloupe, en 1989. Précédé par un beau temps trompeur, il est l'un des cyclones les plus dévastateurs qu'aient connus les Antilles au XXe siècle. Le roman, qui en suit précisément le déroulement, en souligne aussi les ravages.

Son arrivée est progressive : l'onde tropicale qui apparaît vers le Sénégal se change en tempête, et c'est un ouragan de catégorie 5, la plus élevée, qui déferle sur la Guadeloupe la nuit du 16 septembre. Il poursuit ensuite sa course à travers les Caraïbes et s'éteint quelques jours plus tard, aux États-Unis. En Guadeloupe, le vent dépasse les 200 kilomètres à l'heure, tandis que de violentes pluies s'abattent, laissant le pays détruit, avec de nombreux blessés et sans-abris.

Comme le rappelle M. Justin, parmi les « phénomènes qui se forment sur la mer » (chap. I), l'onde tropicale est la perturbation atmosphérique la moins violente, suivie par la tempête, puis, au niveau le plus haut, l'ouragan. Les termes « cyclone », « ouragan » ou « typhon » sont synonymes et diversement employés, selon les régions : « cyclone » dans le Pacifique sud et l'océan Indien ; « ouragan » dans le Pacifique nord-est, vers l'Amérique, et l'Atlantique nord ; « typhon » dans le Pacifique nord-ouest, vers l'Asie.

Depuis le XVIIIe siècle, les ouragans, pour être facilement identifiés, sont désignés par des prénoms, suivant une liste alphabétique renouvelée chaque année. Après un ouragan particulièrement fort, il peut être décidé de ne plus réutiliser son nom. Ce sera le cas pour Hugo, qui reste attaché à l'année 1989.

Un trajet initiatique

Si Hugo a été destructeur, il a, en même temps, permis à plusieurs personnages du roman d'évoluer, ou de se révéler, faisant apparaître la solidarité en des endroits insoupçonnés, tandis que les mauvais travers de certains se révélaient (avec des scènes de pillage, dont est aussi victime le salon de coiffure de Petite Mère).

Au cœur de la nuit d'angoisse, Michel se rapproche de sa sœur, terrorisée par l'ouragan. Alors qu'il la trouvait agaçante et gâtée, il ne se souvient, à ce moment-là, que de son affection pour elle, et veut la rassurer et la protéger.

Genre, action, personnages

Petite Mère, qui est toujours forte et cache ses larmes, même dans les situations les plus dures, finit par craquer. Pour une fois, c'est son fils qui peut la consoler et la serrer dans ses bras, lui qui regrettait qu'elle ne lui fasse plus profiter de ses tendresses, réservées à sa cadette.

Les voisins, les Félix-Emmanuel, n'ont pas bonne réputation dans le quartier : on les trouve prétentieux, méprisants et bruyants. Pourtant, après le passage de Hugo, alors qu'un travail immense de nettoyage et de reconstruction est à faire et que chacun reste silencieusement de son côté, ils se montrent disponibles et prêts à offrir leur aide. Grâce à eux, un système d'entraide s'organise et les travaux progressent. Les Félix-Emmanuel deviennent les « grands amis » de la famille de Michel.

Michel, lui, suit un trajet initiatique tout au long du roman. Âgé de treize ans, il est encore considéré comme un enfant par ses parents, qui ne le laissent pas agir à sa guise. Lui se rêve plus grand et plus libre, comme son frère, ou son ami Frédéric, qui semble toujours faire ce que bon lui semble. Michel se rebelle, pour la première fois, et brise plusieurs interdits, s'offrant un après-midi de détente avec Frédéric, montant sur le toit de son oncle ou s'éloignant pour aider Gitane puis pour voir sa tante. Ses initiatives ne sont pas toutes judicieuses ou acceptées par ses parents, mais elles lui permettent de s'affirmer. À la fin du roman, Michel a grandi, a gagné en assurance et a fait évoluer le regard que ses parents portent sur lui. Il n'est plus un enfant.

Action et personnages

L'histoire de l'île

Lorsqu'il rencontre un couple de touristes venus de France hexagonale, Michel reconnaît que sa famille fréquente peu de « métropolitains » blancs, à cause de « préjugés hérités de [leur] histoire ». L'île est étroitement liée à son passé.

Après le débarquement de Christophe Colomb en 1493, la Guadeloupe a été colonisée par la France à partir du XVIIe siècle et est restée sous domination française (ou, parfois, anglaise). La population amérindienne habitant initialement l'île a peu à peu été remplacée par les colons et les esclaves noirs qu'ils faisaient venir d'Afrique. Comme Frédéric tient à le rappeler en cours d'histoire, la Déclaration des droits de l'homme et du citoyen « ne concernait pas les esclaves des colonies » (chap. II), à l'époque (1789). Les ancêtres des personnages n'étaient pas perçus comme libres et égaux en droits.

En 1946, les anciennes colonies des Antilles françaises – Guadeloupe et Martinique – deviennent des départements d'outre-mer. Même si certains habitants aimeraient que l'île soit indépendante, elle fait, à ce jour, partie de la France en tant que région et département d'outre-mer. En 2001, la France a adopté un texte de loi reconnaissant la traite négrière transatlantique et l'esclavage comme crimes contre l'humanité.

Les lieux, dans le roman, sont marqués par cette histoire. Comme ce chemin que Michel aimerait emprunter avec son père, qui permettait aux esclaves de fuir les plantations où ils devaient travailler afin de se réfugier dans un « camp de marrons » (chap. I) pour esclaves en fuite. Le chemin porte le nom de Victor Hughes (ou Hugues) [1762-1826], un gouverneur qui participa à une première tentative d'abolition de l'esclavage en Guadeloupe, au XVIIIe siècle. Dans la vieille ville, une place s'appelle « place de la Liberté » – un nom qui commémore l'abolition de l'esclavage en Guadeloupe, en mai 1848. Plusieurs maisons sont des « villas coloniales ».

Genre, action, personnages

La nature

La nature occupe une grande place dans le roman. La végétation singulière de l'île est mise en avant et décrite avec précision. Fleurs, arbres, plantes, couleurs : toutes les beautés de la nature accompagnent le trajet des personnages, et la variété de la flore tropicale est suggérée, permettant de poser un cadre naturel riche et coloré.

La maison de Michel s'appelle ainsi « Les Alamanders », en référence à l'arbuste aux fleurs jaunes qui pousse devant elle (chap. I), tandis que l'on croise, au fil des pages, des amandiers-pays, mangliers, poiriers-pays, mahots grandes feuilles et arbres à lait (chap. I), des sabliers, manguiers, bougainvillées (chap. II), des crotons (chap. IV), des arbres à pain, châtaigniers, filaos ou tamariniers (chap. VI).

Les conséquences de l'ouragan se lisent directement sur la nature : après le passage de Hugo, arbres et arbustes sont abîmés, déracinés ou nus, leurs feuilles ayant été arrachées par le vent, comme si « un hiver s'était abattu sur eux et les avait ravagés », les laissant pourvus de « moignons torturés » (chap. VI) à la place du foisonnement coloré de leurs feuilles et fleurs. La mention initiale de cette riche nature prend alors un sens supplémentaire : sa destruction permet d'imaginer un autre pan des dommages causés par l'ouragan.

Jolies villas et cases en bois

Michel grandit dans un quartier résidentiel « avec de jolies villas » et mène une existence plutôt confortable. L'ouragan lui fait découvrir un monde qu'il connaissait peu, puisqu'il entrevoit à la fois la richesse d'un grand hôtel, entre piscine bleue et cocktails, et le dénuement des quartiers les plus pauvres.

Le trajet qui le mène chez Gitane est, pour lui, une révélation. Il connaissait vaguement la vie de celle-ci, domestique depuis plusieurs années pour sa famille, mais n'avait jamais fait, à ses côtés, l'inconfortable trajet en bus jusqu'à son quartier. Là se dressent des cases dont la structure fragile ne peut résister à un ouragan. Après le passage de Hugo, il ne restera souvent rien de ces pauvres lieux de vie, comme Michel pourra le voir en parcourant l'île avec les deux photographes et en répondant aux appels lancés aux bonnes volontés transmis par la

Genre, action, personnages

radio. À travers tout le roman, la radio crée des liens nécessaires : elle sert à informer, à prévenir et à communiquer. Elle transmet les alertes et bulletins, annonce les dangers et les recommandations, permet aux victimes de l'ouragan d'échanger des messages et offre, aux moments les plus durs, de précieux moments de détente.

La sauvagerie des éléments

Après avoir longuement admiré le ciel « si bleu, si bleu » tandis que la mer « souriait » (chap. II), Michel perçoit les premiers signes annonciateurs de l'ouragan, entendant un « grondement sourd » qui lui fait penser à une armée en marche. Il lui semble entendre la voix même de Hugo qui annonce son arrivée. Les éléments déchaînés sont, tout au long du roman, associés à des êtres vivants, humains ou animaux. Leurs mouvements et bruits sont décrits grâce à un vocabulaire de la sauvagerie animale : hennissements, miaulements, feulements, jappements, hurlements résonnent autour des personnages. Ces animaux sauvages qui semblent occuper tout l'espace donnent corps à l'ouragan, le rendant encore plus effrayant. Après s'être épuisée à se démener toute la nuit, la « horde des chevaux sauvages s'[arrête] de galoper frénétiquement » (chap. V) au matin. L'ouragan touche à sa fin et le calme revient. Les humains semblent d'ailleurs se réfugier dans le silence, comme abasourdis par les sauvages hurlements nocturnes. Un semblant de normalité peut commencer à apparaître.

Pour approfondir

Bibliographie et filmographie

Romans de Maryse Condé pour la jeunesse (sélection)

Chiens fous dans la brousse, Bayard Jeunesse, 2008.

Conte cruel, Mémoire d'encrier, 2009.

Savannah blues, Sépia, 2009.

Rêves amers, Bayard Jeunesse, 2017.

La Guadeloupe en romans

Un papillon dans la cité, Gisèle Pineau, Sépia, 1992.
> ▶ Félicie doit quitter sa grand-mère et la Guadeloupe pour rejoindre sa mère en banlieue parisienne.

Coulée d'or, Ernest Pépin, Gallimard, 1995.
> ▶ L'enfance d'un garçon dans la Guadeloupe des années 1950.

Case Mensonge, Gisèle Pineau, Je bouquine, 2001 ; Bayard Jeunesse, 2004.
> ▶ Djinala grandit dans un bidonville guadeloupéen. Sa mère tente d'obtenir leur relogement dans un appartement neuf.

Lettres de Guadeloupe, Antonia Neyrins, éditions du Jasmin, 2009.
> ▶ En vacances en Guadeloupe, Paloma raconte, dans un carnet de voyage, sa découverte du pays et du nouveau compagnon de sa mère.

Cyclones et ouragans

Avant l'ouragan, Jewel Parker Rhodes, L'École des loisirs, 2015.
> ▶ Un ouragan s'apprête à déferler sur la Nouvelle-Orléans. Ne pouvant fuir leur ville, la jeune Lanesha et sa Mama Ya-Ya se préparent à l'affronter.

Catastrophe ! Ouragan, Frieda Wishinsky, Scholastic, 2016.
> ▶ En 1954, un ouragan surprend les habitants de Toronto. Confronté à sa violence, Michael tente de lui échapper.

Bibliographie et filmographie

Chasseur de cyclones, Christine Avel, L'École des loisirs, 2017.

> ◗ Élise, treize ans, est en vacances aux Bahamas lorsqu'un cyclone est annoncé. Elle l'attend, appareil photo en main.

Filmographie

Rue Cases-Nègres, film réalisé par Euzhan Palcy, 1983.

> ◗ Adapté du roman du même nom, ce film raconte l'enfance d'un garçon noir qui grandit dans un village pauvre de la Martinique des années 1930, et que sa grand-mère pousse à faire des études.

Ouragan, l'odyssée d'un vent, film documentaire réalisé par Cyril Barbançon, Andy Byatt et Jacqueline Farmer, 2015.

> ◗ Un documentaire qui suit le trajet, fascinant et effrayant, d'un vent devenant tempête puis ouragan dévastateur, depuis sa formation en Afrique jusqu'à ses derniers soubresauts sur la côte américaine.

Pour approfondir

Dans la même collection :

LAROUSSE s'engage pour l'environnement en réduisant l'empreinte carbone de ses livres. Celle de cet exemplaire est de : 450 g éq. CO_2 Rendez-vous sur www.larousse-durable.fr

PAPIER À BASE DE FIBRES CERTIFIÉES

Imprimé chez Rotolito S.p.A. en Italie
Dépôt légal : août 2020 – 319580/01
N° de projet : 11035209 – août 2020